CONTEMPORARY SPANISH POETRY

Selections from Ten Poets

LONDON: HUMPHREY MILFORD
OXFORD UNIVERSITY PRESS

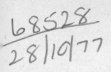
CONTEMPORARY SPANISH POETRY

Selections from Ten Poets

Translated

BY

ELEANOR L. TURNBULL

with Spanish Originals

AND

*PERSONAL REMINISCENCES
OF THE POETS*

BY

PEDRO SALINAS

BALTIMORE

THE JOHNS HOPKINS PRESS

1945

PRINTED IN THE UNITED STATES OF AMERICA
BY J. H. FURST COMPANY, BALTIMORE, MARYLAND

Foreword

Had I not been asked by several Spanish friends to undertake the work, this anthology would never have been begun, and it would certainly never have been completed without the encouragement and helpful suggestions of Dr. Pedro Salinas, Professor of Spanish Language and Literature at the Johns Hopkins University. He has read all of the translations and given assistance in poetic interpretation where passages seemed blind. I want to express here my gratitude to him for this and for his reminiscences of the poets which add greatly to the value of the book.

I owe a debt of gratitude also to Dr. Leo Spitzer, Professor of Romance Philology at the Johns Hopkins University, who has given most generously of his time, going over my work and giving me the benefit of his expert knowledge.

To the several friends who have listened to the translations as English poems and helped with their suggestions and criticisms, I give my very hearty thanks.

The anthology represents the work of what might be called the second generation of Spanish lyric poets of the twentieth century, after the three great poets Unamuno, Antonio Machado and Juan Ramón Jimenez opened the way for these new achievements.

The work of Federico García Lorca, one of the poets included in this volume, has been translated into English by a number of English and American poets, so it may seem very audacious on my part to attempt still another version. It would have been impossible however to exclude him from this group of Spanish poets where he holds such a very prominent place. I have refrained from reading the other translations of Lorca's work, not wanting to be influenced by them in any way, these translations therefore are entirely new.

In making my choice of poems to appear in this volume, I

have picked out those which appealed to me as being more suitable to be rendered into English. If some of the best known and most representative poems of these ten poets are not included, it is only because I felt they did not lend themselves to translation as well as the others, therefore these selections are not to be taken primarily as a standard of judgment and criticism. I hope, however, that this collection may give the English reader some idea of the contemporary poetry of Spain, and may encourage him to explore further the work of these poets, many of whom are now in exile.

ELEANOR L. TURNBULL

Baltimore, Md.,
May, 1945

Table of Contents

Nueve O Diez Poetas

—¿Por qué no me escribe usted unas palabras para la antología?—me dijo ella.—Algo sobre los poetas. Usted los conocerá a todas . . .

—Sí, a todos los conozco, a unos más a otros menos. Separados estamos, un viento malo y sucio nos dispersó, por el mundo. Quién en la Argentina, Alberti; uno en Inglaterra, Cernuda; otros en los Estados Unidos, en Méjico; sólo tres, Gerardo, Dámaso y Vicente, en aquel sufrir de España. Sí, la agradezco a usted mucho que me dé motivo para reunirnos todos, en el suelo provisional del recuerdo, como antes, como mañana, en nuestra España limpia.

A José Moreno Villa. Pellizcándose el bigotillo negro, mientras le caen de los ojos dos chispas de zumba malagueña. Todas las tardes, con la seguridad del astro por su órbita, iba a tomarse su *cervecita*. Donde más le recuerdo es en Alt Heidelberg—en la cervecería de la calle Zorilla, en Madrid—sentado solo en un rincón, yendo y viniendo del tarro de cerveza alemana al cigarrillo—hechura de Norteamérica—columpiándose regaladamente entre trago y chupada.

¿Era ese vaivén de lo tudesco a lo yanqui símbolo acaso de las andanzas de su vida? Cerveza: mirada atrás, hacia su primera salida de España, regusto de sus días de estudiante en Friburgo. Pitillo: humo azulado, dibujante de indecisos agüeros, presagio de lo que le estaban tejiendo en los telares del tiempo: Jacinta la Pelirroja, la norteamericana arquetípica, Nueva York, el Nuevo Mundo, cuna de todos los tabacos.

No le gustaba ser sumando de grupo o tertulia. Ni iba en busca de la gente, ni la rehuía. Un poco apartado, pero no zahareño, apartamiento natural, sin afectación, como todo lo suyo. Así que verlo daba una alegría de sorpresa, de encuentro casual con forastero, de " ¡Hombre, cuánto tiempo sin vernos! "

Y es que él tenía un mundo chico suyo, allá en el torreón del

I

Hipódromo, en una proa de la Residencia de Estudiantes. No era verdad eso de que ya se le había olvidado la química que fué a estudiar a Friburgo. Su cuartito era oficina de alquimia y crisopeya, con hornillo de atanor, y probetas, cucúrbitas y matraces—nadie los vió nunca, pero yo sé que estaban allí—y como había encontrado la fórmula mágica de la trasmutación de las materias, se pasaba las horas trocando poesía en pintura, pintura en poesía.

Manipulaba diestramente unas cuantas visiones poéticas, y se le volvían un lienzo con gracias de bulto extraños seres, pintados. O atacaba con ácidos misteriosos unas imágenes pictóricas, que se le disolvían en flúidos poemas. ¡Cuántas veces he temido que ese cuadro que él me regaló—*El Arbol de las Joyas*—que yo tengo en mi casa colgado encima de la chimenea, no estuviese allí más, una mañana al levantarme, y en cambio apareciera en su hueco de la pared un poema, lírico precipitado de la pintura ida!

Cuando menos lo esperaba lo encontré en Wáshington, en 1939, en el salón regentado por los amigos Gloria y Fernando, con una barba blanca, tan temblona, tan falsa, que hasta su misma mirada se le reía de ella, un poco más arriba.

No podía ser suya. Me lo expliqué todo. Como es, además de pintor y poeta, historiador del arte, estaría ahora estudiando algo del Greco, y para circular con mayor facilidad entre sus personajes, le había robado a alguno esa barba, para usarla a modo de contraseña. ¿De qué Greco será, de qué Museo faltará, una barba espectral, una llama fría?

Y tan cierto era mi barrunto que cuando un año más tarde le ví en Méjico, llevaba el mentón limpio, con concienzuda rasura del residente antiguo, y lo que le caía de la boca eran unas palabras, sin una cana, intemporales y felices.

—¿Sabe usted que me voy a casar con Consuelo, Salinas?

Me lo decía con su sonrisita inalterable, en aquel sotabanco de donde él vivía, y que daba a una azotea. Mi "azoteílla" la llamaba él.

Y la palabra, tan andaluza—Carmona, Ecija, Osuna, matas de claveles, camisillas tendidas al sol—con el diminutivo, tan andalucísimo, temblaba en el maravilloso aire del valle de Méjico, como una querencia disparada, sin querer, hacia su Bética natal.

A Federico García Lorca, poeta no, poesía, ambulante, por ese hervor, ese bullicio, esa animación que levantaba su persona entera por donde iba. Se le sentía venir mucho antes de que llegara, le anunciaban impalpables correos, avisos, como de las diligencias en su tierra, de cascabeles por el aire.

Cuando ya se había marchado aun tardaba mucho en irse, seguía allí, rodeándonos aun de sus ecos, hasta que de pronto, decía uno:

—¿Pero se ha ido ya Federico?

Siempre con su séquito. Le seguíamos todos, igual que los chiquillos del pueblo al tamboril y la trompeta que anuncian los títeres, porque él era la fiesta, la alegría que se nos plantaba allí de sopetón, y no había más remedio que seguirla. Séquito de muchos, íbamos detrás los poetas; los niños, encantados de las mil artes de divertirlos que él sabía; unas gentes raras, los *monstruos* por él descubiertos y que tenían extrañas habilidades —imitar con la voz al tambor africano, recitar poesía ladrada—y que eran a modo de sus juglares fidelísimos. Le seguían mujeres, con sus miradas, un poco enternecidas, ojos de madre, como si presintieran que se les iba a ir pronto. Cuando la fama se le llegó, antes y más que a ninguno de los otros, Federico de cuando en cuando se sentía importante—él que lo era tanto—y poniéndose serio, intentaba echar una doctrina grave por la boca, vocear una sentencia de maestro. Pero como si en el acto se viera en un oculto espejo, sin gustarse en esa embustera figura de sí mismo, la rompía a risotazos, borbotantes risotazos que subían por el aire, igual que globillos de colores.

¿Cuántos ruiseñores de la Alhambra, cuántas viejitas de la Vega, cuántos garzones del Albaicín, cuántos duendes de

2

ninguna parte, no le cantaban, le reían, le suspiraban, le lloraban a Federico dentro, en su muchipersona? ¿Cuántos seres no se le habían juntado, se le habían ido a vivir allí en él, atraídos por su gracia, y en su interior los llevaba?

Así se me alumbró una noche en que leyó en casa "Doña Rosita la soltera." Le acomodaban como venidos del justo cielo los versos de don Luis:

> . . . autor de representaciones
> En su teatro sobre el viento armado
> Sombras suele vestir de bulto bello.

En el aire armaba él su tabladillo y con las voces, las quejumbres, los aspavientos, los ayes y los cantares de *su gente*, la que le vivía dentro, revestía de pródiga realidad a las palabras que le salían de la boca.

—Federico—le dije yo aquella noche—¿qué compañía de teatro te va poner la obra mejor que tú te la pones?

—Generoso, generoso, generoso.—Iba al piano para él que le pedía canciones, recitaba para los que se embriagaban en aquellos holgorios de poesía que él encendía en cualquier parte, en dos segundos, cambiando toda la atmósfera, nada más que con abrir su boca ancha y empezar:

> Verde, que te quiero verde . . .

Con lápices de cera pintaba monos para los niños, que luego guardaban los mayores. Aquel San Nicolás que le pintó a Solita, mi hija, en casa, en dos minutos y que luego yo le puse marco, y cuando él vino, otro día, y se lo encontró en la pared, muy formal, ya *de cuadro*, se echó a reir todo sorprendido de su obra, y me decía:

—¡Oye, pues sabes que está bien! ¡Me gusta! ¡Chiquillo es que el Albaicín!

Sí, estaba bien todo lo que hacía, bien dentro o fuera de los cánones, de las reglas, de los críticos, bien hasta cuando estaba mal; porque lo hacía todo desde la raíz de su ser, desde su día primero.

A Federico le empezó a cantar su poesía el día de su nacimiento.

A Jorge Guillén. El fraterno, que casi no se atreve uno a hablar de él, porque es como de la familia. Miro atrás, al tiempo de nuestras vidas, y no se ven más que concordancias, que son alegrías, y coincidencias, que son asombros.

En Paris, frío cuadrángulo gris de la Sorbona; en Sevilla, jardines alcazareños, la Cruz del Campo, Giralda, índice, a distancia; Cambridge, patio de Queens y el puente, en los *backs*, de madera añosa; y ahora Wellesley, desmelenadas doncellas por las praderas peinadas del College, *Christmas carols* en la nieve de Navidad, viajecitos a la Biblioteca de Boston.

A todos esos sitios llegué yo el primero, como el mayor, que va a enterarse de si las cosas están bien para avisar que puede venir el más pequeño; y luego, cuando yo me iba—eso es lo malo—venía él a vivirlo como lo había yo vivido, cada vez más pasmados por esta firmeza de destinos paralelos. ¡Y tan distintos que somos! Señor entero de su distracción y de su atención, distraído al cruzar la calle, como cuando su hija Teresa, ocho años, le decía, paternalmente, ella, al borde de la acera:

—Papá, dame la mano, no te vaya a atropellar un auto.

Atentísimo, en cambio, con los cien ojos del entendimiento abiertos, al ir a atravesar sobre una delgada cuerda de heptasílabos la sima que separa la orilla de la prosa de la de poesía, y que le vemos cruzar impávidos, segurísimos de que nunca . . . le pasará nada; sabe lo que hace.

Distraído, como aquel día de Nueva York. No sé si le gustará que lo cuente. Tenía una cita en el hotel Pennsylvania, y para llegar allí se equivocó de todo. Tomó el tren subterráneo que no era; cuando en un taxi, desesperado, arribó al hotel, y se metió en el ascensor, se apeó dos pisos más abajo, y, ya bien encaminado, en el pasillo debido, se confundió de cuarto.

Todo eso es verdad. Pero también es verdad que cuando va en busca de un poema, entra por la vía subterránea más derecha, atina sin vacilar con el ascensor—ese ascensor suyo, el más potente de la lírica española de hoy, que

> traspasa el aire todo
> hasta llegar a la más alta esfera

y se deja atrás la calculada retórica de hierro y cemento de los rascacielos de su día para subirse a un aire inmortal.

Fidelidad perfecta a sí mismo, a lo que se lleva de mejor en sí, con todo lo que eso traiga de sencillez y orgullo. No hay que dejarse nada dentro—¡cuidado con la inefabilidad, armando esas trampas en las que muchos hemos caído!—nada dentro del poema—más que las raíces—como la planta que nunca se queda a medias, ni se detiene hasta que su secreta capacidad de perfección se hace cuerpo de flor. Hay que decir las cosas todo lo bien que son. Conciencia suma, alta castellanía, del que está en su centro.

Su cántico se ha ido ensanchando, desde que cayó en el agua clara del habla española su primer poema, en ondas sucesivas, cada vez más amplias, de mayor alcance pero todas sujetas, obedientes al centro mismo, como en una obra de geometría naturalísima, geometría no de gabinete y cálculo, sino de esa de aire libre, de Dios.

¡Tantas geometrías naturales que hay, hechas ahí delante de todos, arabescos del caracol, mineral poliédrico, veteado de la hojilla verde!

¿De dónde le viene a Jorge esa luminosidad en que envuelve la palabra más opaca del idioma y la saca lustre para siempre, esa claridad certera—dicen de los cazadores, "Donde pone el ojo, pone la bala"—que donde pone su querencia del poema pone el poema?

Siempre hace blanco. Se crea en torno de lo que canta un

blancor, una claridad de entendimiento jubiloso. Le viene de la altura del hombre, de su siempre vigilante conciencia. Y ella le reviste de ese aire de maestría sin magisterio, de ejemplaridad sin lección. Porque él, profesor o aleccionador de oficio, jamás dió una lección sino del modo único que debían darse todas—¡si pudiéramos! Diciendo: "Esto se hace así." Y haciéndolo.

Y entregándonos, sencillamente, la obra perfecta.

A Gerardo Diego. Tieso, envarado, esposo, desde hace muchos años de Carmen; pero que no puede resistir a las ganas de irse de bureo, de tarde en tarde con Lola. Carilargo, de rasgos acusados, inexpresivo; calla mucho. Hay ratos en que no se le puede sacar una palabra del cuerpo.

Pero de pronto se le sube la sangre a la cara, dos brasas a los ojos, y se arranca, furioso, cuesta abajo por una tirada de indignación.

¡Es intolerable! Esos carcamales de la Academia . . . lo que han hecho con Góngora . . . !

Y Gerardo va de tertulia en tertulia, solicitando firmas, alumbrando iras, con un manifiesto que hará estremecerse todas las patas de los sillones de la Academia—la forma del temblor de tierra académico.

Es un fanático de *la causa*. *La causa* es siempre la poesía. La muy antigua o la muy moderna, la de Soto de Rojas o la de Huidobro, la de Lope o la de Juan Larrea. Elemento peligroso. Agitador. Si hubiera una Guardia Civil para la seguridad y protección de las Letras pudientes, bien acomodadas, más de una vez habría andado Gerardo esposado con dos sonetos con estrambote, carretera adelante.

Y es lo que dicen ellos, los escandalizados, las familias, cuando el niño llega al cuarto año del Bachillerato, a la asignatura de Literatura española, de la que es profesor Gerardo Diego:

—Lo peor del caso es que este tal anarquista literario, es catedrático, y tenemos que entregar nuestros hijos, a un hombre que ha escrito versos como

Amor, amor obesidad hermana.

¡Vergonzoso! Lo que pasa en España no pasa en ninguna parte.

Porque en efecto, igual que la mozuela descarriada, que después de haber andado hasta las tres de la madrugada de parranda, en los dancings—el descote hasta aquí—con unos y con otros (esos unos y otros son, en este caso, los ultraístas, los dadaístas, los superrealistas, los creacionistas y otras gentes de mal vivir poético), a la mañana siguiente se prende su mantillita, y con su traje bien cerrado va con su madre a misa de nueve, como si tal cosa, Gerardo, después de apedrearle las ventanas a la Academia, todas las mañanas, deja su manuel de espumas, empuña el de retórica y poética, y encaramado en su tarima profesoral, inicia su lección:

—Hay varias clases de endecasílabos. El anapéstico . . .

¿Tránsfuga? ¿Tornadizo, de Max Jacob a Horacio, del ultimismo a la escuela sevillana? ¿Vacilante? ¿Desorientado? No; fiel devoto de la Señora que a todos nos entiende y a todos nos perdona. De una Nuestra Señora de la Poesía, que tiene un manto azul anchísimo, cuajado de estrellas de oro como en Zurbarán, y que alzando los brazos, crea bajo sus pliegues un cobijo para todos, el poeta de ayer, y el de hoy— todos iguales, en su mucho o en su poco.

Y ante esta imagen, que a ningún alma pura rechaza, Gerardo se hinoja y reza en décimas calderonianas.

A Rafael Alberti . . . Cuando él nos decía que había estudiado en el Colegio del Puerto, yo nunca lo tomé al pié de la letra—el Colegio de los Padres Jesuítas, en la ciudad del Puerto de Santa María, provincia de Cádiz—sino que descolgaba las mayúsculas, y entonces quedaba la verdad: colegio del puerto, escuela de la orilla del mar, enseñanzas gratuitas, día y noche, de la marina.

Sí, allí lo aprendió todo Rafael, todo lo que nosotros no sabíamos, todo lo que él sabe mejor que nadie. Clase de la playa, lección de primores, caracolas, rosicleres de anochecido, rizos de la ola, chuflillas de la brisa. Dómine, mar de Cádiz.

Y estaba yo en Burgos, en 1926, y se presenta, de pronto, Rafael, todo encendido, de expectación y prisa de enamorado camino de la cita. En un automovilillo con el baúl todo cargado de vinos olorosos, su hermano—representante de mostos gaditanos—le llevaba, espolique montado—a Santander. ¡Iba a ver *al otro!* Al otro mar, al norteño, que no había visto nunca. Se me figuró entonces correo de gabinete, mensajero del rey, que porteaba de mar a mar, una razón secreto de estado, desde las plateadas salinas de San Fernando a los foscos acantilados de las Asturias de Santillana.

Pero el mar le enseñó, también lo del fondo, los horizontes, lo desconocido le hizo lo de siempre, la invitación, lo que a Baudelaire.

> Yo no digo esa canción
> Sino a quien conmigo va.

La tormenta. Porque en su mejor, Rafael es Rafael el atormentado. Por muchos años se le veía en la frente, desde mozo, una arruga, pasajera, que iba y venía, hasta que a fuerza de tiempo se quedó allí, permanente. La seña, la seña de la angustia, la marca del romántico. Hasta a los ángeles les llevó la tempestad en el encuentro más hermoso que ha tenido la poesía española con los querubes. ¡Qué tremolina armó entre ellos colándose de contrabando en una nube becqueriana, en sus altos cuarteles de las cuatro estaciones! Allí subió a denunciar la farsa, de los angelitos de alfeñique, de pastaflora, de estampita de cromo; de los ángeles de oficio, de plantilla, con su escalafón y sus ascensos, muchos ascensos. ¡Afuera! Rafael, cantor de los ángeles preteridos, de los postergados, del ángel tonto, del ángel malo, de los extraviados—y de los purísimos. Defensor del proletariado, de los ángeles; y de algún aristócrata, entre ellos. Desde entonces, romántico. No respeta nada. Se acabó el jugueteo, con las sirenillas, con los gitanos, el retozo con las *flappers*, las aviadoras y los toreritos. Se los deja atrás—pero siempre con nosotros.

También ahora el colegio del puerto, le manda, el mar de Cádiz, a hundirse, en otros mares, el fragor de multitudes, mar del hombre, temporal civil. ¡Mares! ¡Los extremos, como las entonaciones de sus ángeles: el Negro y el Plata! Romántico, también en rodar así, por el mundo. Con un fusil al hombro, como Byron, en una isla mediterránea; con una crencha en la frente como Shelley; con una Teresa al lado como Espronceda.

¿Adónde va?

Disparado. Disparado por la poesía que le escogió para soltarlo de su arco como una de las saetas más agudas, más brillantes, más silbadoras, que han cruzado los aires de la lírica española.

Aun está, así, en el aire alto, no cae, no, por el camino, hacia un hito que ni yo ni él sabemos dónde está la que le tiene señalada, su dueña, Poesía, en su intención secreta.

A Emilio Prados. Le he visto menos que a ninguno. Cuando él estuvo en Madrid, estabo yo fuera. Y luego se volvió misterioso. Nos lo contaban, los que subían a Madrid, desde Málaga.

¿Verdad? ¿Leyenda?

Una especie de eremita a la moderna: ni cueva, ni disciplinas, ni penitencias, no. Ascetismo de aire libre, ejercicios del cuerpo, natación, gimnasia; pero, de eremita, el retiro del mundo, la repulsa de la sociedad, contemplación. Y sobre todo, el culto—nunca lo ha renegado—a la soledad. Me imagino a Emilio, encapuchado, en una procesión de Semana Santa, la de Sevilla, detrás del paso de Nuestra Señora de la Soledad, al mismo borde del jardín de oro del manto, medio mareado por el olor de nardos y el calor de cirios que envuelven a la Virgen para separarla un poco del aire de la tierra. Emilio, penitente, ha hecho promesa de ir así, y le va cantando saetas sordas a su dueña patrona, de la que saldrán luego sus libros.

Por eso está bien, ahora, en el gran país de las soledades y del barroco, en Méjico, donde le ví por última vez. A cada momento pestañea, entorna los ojos como si tuviera que ajustarse la vista a una luz, que le es extraña, la del día. De noche debe de ver mejor, porque tiene algo de buho, como tenía Unamuno, como tenía a veces don Antonio. Y de noche se le lee mejor, se le entiende mejor. Porque por la noche se le suelta una vena, y corre por sus versos una sangre tranquila, como el agua corre por las acequias de la Huerta, con un borboteo nocturno de romance.

De cuando en cuando llegaba a Madrid la noticia: Emilio ya no escribe más, se ha retirado de la poesía. Nunca lo creíamos. Cosas de torero, andaluz al fin y al cabo. Es tan tremendo, tan marrajo, sabe tanto latín el toro ese, que Emilio tenía *espantás*, se salía, tirándose de cabeza del ruedo. Se iba al campo. Cuando estuve yo en Málaga, la única vez, quise verle. Me llevaron a un gran almacén de la calle principal, la tienda de sus padres, a ver si allí me daban razón de su paradero. Una tienda hermosa. ¡Cuánto tuve que luchar para no mercarme un juguete de muñequitas finas vestidas de raso, esparcidas por un jardinillo de cartón, que se le daba cuerda, y cada figura hacía una gracia, movía la cabeza, daba un paso, se quitaba el sombrero, mientras que la tocata de un rollito de música hablaba por todos! No se me olvidará el almacén de Emilio Prados.

Y vino un señor muy atento, no sé si tío suyo, o su mismo padre. No, Emilio no estaba en Málaga. Ya hacía tiempo. ¿Verle? Difícil.

—Ya sabe usted cómo es él . . .

Eso es. Como es él. Sencillamente como es él, ha atravesado el mundo, medio a tientas, aparecido y oculto, y vuelta a empezar, a dejarse ver, a esconderse—en sus versos, como es él, marinero de su soledad.

A Manuel Altolaguirre. Manolito. Cuando se fué a París, sin saber palabra de francés, con sólo el lenguaje universal de su labia andaluza que le entendían todos, sin oficio ni beneficio, a ver mundo, se lo confié en una carta a Mathilde Pomés, embajadora de la nueva poesía española en París de Francia: "Ahí tienes a M. A., angelical, inútil; hasta ahora ha vivido colgando milagrosamente sobre la tierra de un hilo que siempre sostiene alguien. En París no vais a ser menos."

¡Qué injusto, yo, en lo de inútil! Porque la verdad es que este Manolito ha trabajado más que ninguno de nosotros, él, el único que ha hecho cosas con las manos, con los músculos, obra de obrero, pasándose horas y horas, en un zaquizamí, sudando, sonriendo, cayéndose de sueño, viendo salir de su minervilla las hojas con las palabras frescas, y sin querer dejarlo, porque es lo que él decía:

—El libro va un poco atrasadillo, lo tenía que entregar la semana pasada, sabes.

Yo sé como empezó el cuento de Manolito Altolaguirre. Era un niño de Málaga, que una noche brilladora soñó con que el cielo era una imprenta de imprimir poesías. Al fin y al cabo Él es el supremo Impresor, y Regente y Autor y Corrector de pruebas—esas pruebas tan malas que le llevamos los hombres— todo en una pieza. ¡Qué colección inmensa de tipos, desparramados por todas partes, y no tiene más que cogerlos! Porque esas que estrellas, luceros, vías lácteas, galaxias parecen desde la tierra, son otros tantos infinitos caracteres de imprenta; y más, que no se ven. Maestros querubes, oficiales, serafines, aprendices, principados, componen las estrofas celestes.

(También hay ángeles malos. Son las erratas de Dios.)

Y luego—¡a tirar! Hay láminas finísimas, vaporosas, hay grandes superficies blancas, los cúmulos, papel especial para ediciones de lujo. Y una cartulina azul, surtidos inagotables, para la cubierta. Imprenta de gran porte, cada mañana se funden todos los tipos, y a la noche ya hay otros nuevos. ¡Sueño de Manolito! Pero lo malo es que en las nubes no hay imprentas.

Una copla, que se canta por sevillanas, dice:

Si fuera mía, si fuera mía
La fábrica e Tabacos, si fuera mía,
Tiros de artillería,
Yo le pondría, yo le pondría.
Como no es mía, como no es mía.
Pues no le pongo tiros de artillería.

Manolo atendió a esta lección, sin par, de conformidad andaluza. Y ya que no en los celestes, puso sus imprentas en los espacios terrenales. Don Juan de las imprentas, las descubre, las conquista, tiene amores apasionados con ellas, y luego se las deja detrás, porque ya le espera otra con tipos más bonitos.

—¡Chico, qué Bodoni, si vieras! ¡Ahí sí que se pueden hacer cosas!

Habrá que trazar, como de los aventureros del quinientos, una carta del mundo donde se señalen las rutas del impresor: Málaga, Madrid, París, Londres, el salto, la Habana, y ahora— ¡quién sabe dónde! De todas clases, desde aquella imprentita, de cuarenta duros, donde él se lo hacía todo, del poema, al cosido, hasta aquella otra industrial de veras—la más inverosímil —la de la calle de Guzmán el Bueno, con sus obreros, que le querían llamar don Manuel y no podían si le miraban a los ojos y le veían tan amigo, tan compañero, tan como ellos.

¡Y sus versos! ¡Cuántos le debemos a Manolo, cuántos habrá dejado de esbribir él, por imprimir los nuestros! Sus versos, iban saliendo por su lado. Lejos de la imprenta. Altos, límpidos. cantarines, como la caña del surtidor que sigue canta que te canta, en un patio de la Alhambra, y el agua sube unas veces muy alta, maravillosa, y otras se cansa un poco y se desmaya, porque manda menos poder Sierra Nevada.

Así, en una Andalucía secreta de su alma, de la que no se ha movido jamás, en un jardinillo andaluz donde está él solo, la poesía suya brota y brota, mientras él camina por el mundo en una imprenta de ruedas, con Concha y Paloma.

A Luis Cernuda. ¡No me lo he perdonado aún! ¡Y ya va para veinticinco años! No le conocí, de primeras. Meses y meses, de octubre a mayo, sentados frente a frente, aula número cuatro, Universidad de Sevilla! ¡Y nada!

—¡Luis Cernuda!—voceaba el catedrático (que era yo) casi a diario.

Pasar lista. Y una voz quebrada y sin color, contestaba desde una banca, ni muy atrás ni muy adelante:

—¡Servidor!

Y todo esto, Señor, ¿por qué? ¿Por qué he tenido yo que gritar, sin ganas, " ¡Luis Cernuda! " tantas veces en mi vida, por qué ha tenido él que contestarme sin ganas otras tantas— nunca faltaba a clase—" ¡Servidor! "? ¡Cuando a Cernuda hay que llamarle quedo, cuando él no es servidor de nadie, dueño suyo, soltero, cerrero, escotero, por los mundos! Pero él era alumno oficial de mi clase de Literatura; mi año primero de enseñanza. Los dos novicios, él en su papel, yo en el mío. ¡Y no le conocí, y se estuvo cerca de un año un profesor—¡y de Literatura!—delante del poeta más fino, más delicado, más elegante que le nació Sevilla después de Bécquer, sin saberlo.

Claro es que él entonces apenas escribía, y nunca me enseñó un poema suyo. ¡Pero eso, qué tiene que ver! No me lo he perdonado aún. ¿Me lo habrá perdonado él?

Luego, pronto lo supe. Me lo contaron.

—Sabe usted, don Pedro, ese muchachito, finito, de color oliveño, el del pelo negro . . . Luis Cernuda. Hace versos y a mí me parece, vamos, que tienen algo . . .

¡Vaya si tenían! Ibamos, otros muchachos y yo a su casa. Calle del Aire. Sí, la Quinta Avenida no está mal, la rue de Rivoli no está mal, y muchas, muchas, en los recuerdos de mi vista, pero esa calle del Aire, esa calle del Aire . . .

"Prohibido el tránsito de carruajes," decía la cartela en la esquina. Allí no entraba la rueda, como en las civilizaciones felices. En aquella caja de resonancia no sonaban más que los cascos del mulo, del panadero, "¡Pan d'Alcalá!" O el taconeo de las niñas—mantilla de diario, peina baja,—de vuelta de misa de la iglesia de junto. Tan humana, tan hecha a la medida del hombre que no había más que extender los brazos, y una mano tocaba con la pintura rosa de la casa de la derecha, y la otra, con la cal de la pared de enfrente. Se tapaba la calle. Cantar de niñas, "A tapar la calle que no pase nadie."

Y no podía pasar nadie, no, más que el epónimo, el aire ligerillo del Ajarafe.

Y allí Luis Cernuda, en su casa—una casa seria, sencilla, recatada—nada de macetas, nada de santitos de azulejos, nada de pamplinas cerámicas ni floripondios de metal—blanco, las paredes, verde, la pintura de los hierros de la cancela. Siempre iré a buscarle allí, o a su poesía.

¿No es lo mismo?

Porque allí le conocí . . . algo más. Difícil de conocer. Delicado, pudorosísimo, guardándose su intimidad para él solo, y para las abejas de su poesía que van y vienen, trajinando allí dentro—sin querer más jardín—haciendo su miel. La afición suya, al aliño de su persona, el traje de buen corte, el pelo bien planchado, esos nudos de corbata perfectos, no es más que deseo de ocultarse, muralla del tímido, burladero del toro malo de la atención pública.

Por dentro, cristal. Porque es el más *licenciado Vidriera* de todos, el que más aparta a la gente de sí, por temor de que le rompan algo, el más extraño.

Y, después de todo, ¿por qué no va a serlo? ¿Si se siente ante él un cariño, un cuidado, como ante todo lo superiormente delicado? ¿Si su poesía es de vidrio, de materia leve, peligrosamente soplada, hasta el límite, cuando parece que la burbuja va estallar, y de pronto se para, aceptando su forma final maravillosa? ¿Si por sus versos se ve el mundo como por un cristal ya límpido, ya mojado de lluvia o lágrima? ¿Sí su poema, apenas se le toca, despide vibraciones, misterios, de quejumbre musical, como el mejor vaso de orillas del Adriático?

A Vicente Aleixandre. No cabe duda. Este mocetón con la tez rubicunda, encendida, arrebatada, acaba de salir de una cancha de juego; todo sudoroso del ejercicio violento se habrá fregoteado bien bajo la ducha.

Y ahora, vestido de calle, con su terno impecable de figurín, alindado de porte, avanza hacia nosotros con una sonrisa tan abierta, tan adelantada, que ya es inútil el darse la mano, el saludo; lo hace todo ella. ¿A qué jugará? ¿Tennis? ¿Rugby? Porque sólo la insistencia del aire libre sobre la piel, y la alegría del vivir saltando, corriendo, por un prado verde detrás de algo que no importa nada, pueden dar a una fisonomía esa especie de total felicidad epidérmica.

—Pues no, señor, pero, ¿usted no sabe?

—Yo, ¿el qué?

Vicente está delicado, muy delicado de salud. Tiene que cuidarse. Y hace ya años que se pasa días y días, quieto, tendido al sol, en una meridiana, en el jardín de su casa. Como sus padres le quieren mucho le han puesto delante, para que se le ensanche el ánimo, unos vastos espacios cristalinos de aire, al fondo una crestería de sierra, con toques de nieve y azules de primera, igual, igual al Guadarrama.

Y por eso los ojos de Vicente, como no ven otra cosa, no miran otra cosa más que las metamorfosis del azul en el cristal del aire, se le han quedado así, tan cristalinamente azules. No va casi nunca a ninguna parte. No sale de noche ¡de ninguna manera! Cuando de tarde en tarde Vicente viene a una de esas cuchipandas que tenemos en Buena Vista o en el restorán del

Frontón, lo celebramos jubilosamente, se le recibe como al viajero misterioso que recala aquí por unas horas, entre dos lejanías. Se le busca el mejor sitio, donde no haya corriente de aire, se le encarga una comida especial, y todos le dicen:

—¡Estás muy bien, Vicente, ¡estás estupendo!

Y él como un chiquillo, no deja de sonreir, y habla alborotadamente, y aprovecha en charloteo y risa todo el asueto. Sólo dejará de sonreir (¡digo yo!) cuando allá en la calma de su jardín, por las mañanas, cuando está más solo, vaya escapándose, sin moverse, dejando el cuerpo en prenda, allí recostado en la *chaise longue*, del sol, de los pájaros, de sus ojos azules, para hundirse en ese mundo angustiado, de largas cadencias doloridas, hecho de sueños de selvas superpuestas—florestas del paraíso, bosques de purgatorio, espesuras infernales—donde los árboles más puros no pueden escaparse de las lianas que los envuelven, y se entrecruzan indisolublemente como el buen amor y el loco amor en el sentir del hombre.

Porque este mocetón, tan sonreidor con nosotros, deportista de facha, débil de veras, este Vicente, delicado y aparte, que no va nunca donde va la gente, ha descubierto la más trágica forma de equivalencia: amor, igual a desesperación. Y se pasa el tiempo—matemático calculador de su pena—desarrollándola, en líricas operaciones combinatorias, cuyo resultado es siempre el mismo: amor, más desesperación, igual a poesía, a honda, a extrañamente conmovedora poesía.

Y al que no está aquí, en esta antología—y no por falta de Miss Turnbull—y sin embargo se le siente junto a todos, al que más me ha dado que pensar de los lejanos, en España, y tengo que poner aquí su nombre, por acto de justicia del corazón: Dámaso Alonso; al que no se escapará de la poesía que apenas quiere escribir, y que le acecha a todas horas, hasta que triunfe.

PEDRO SALINAS

Nine Or Ten Poets

✦   ✦   ✦

"Why don't you write something for the anthology?" she said to me, "something about the poets. You know all of them."

Yes, I know all of them, some more and others less. We are separated, scattered by an unclean and evil wind throughout the world—this one in Argentina, Alberti; that one in England, Cernuda; others in the United States, in Mexico; only three, Gerardo, Dámaso and Vicente, in that suffering which is Spain to-day. Yes, I thank you for giving me a reason for bringing us together once more on the provisional soil of the memory as before, and as in the future in our free Spain.

To José Moreno Villa—pulling at his black mustache, while his eyes sparkle with Malaguenian fun. Every afternoon with the sureness of a star on its orbit he used to go to take his glass of beer. Where I remember him most is at *Alt Heidelberg*, in the tavern on the Street of Zorilla, in Madrid, seated alone in a corner, alternating between German beer and the cigarette made in the United States, seesawing contentedly between sucking and swallowing.

Was this swinging from the German to the Yankee, perchance a symbol of the events of his life? The beer, a looking back to his first setting out from Spain, tasting again his student days in Freiburg, and the bluish smoke of the cigarette, a tracing of vague auguries, portents of that which was being woven for him in the looms of time—Hyacinth the Red-haired, North-American archtype, New York, the New World, cradle of tobacco?

He did not care to be one of a group or a club. He did not go in search of people, nor did he shun them. He kept a little apart but was not unsociable, it was a natural retirement, without affectation, as everything was with him. Therefore to see

18

him was a pleasant surprise, like the casual meeting with a friend from another city, " Well, well, how long since we have seen each other! "

And this because he had a little world of his own, there in the turret of the Hippodrome, at the front of the Students Residence. It was not true he had forgotten the chemistry that he went to Freiburg to study. His little chamber was a workshop of alchemy, with furnace, test-tubes, retorts and bolt-heads—no one ever saw them, but I knew they were there— and as he had found the magic formula for transmutation of matter, he spent hours transforming poetry into painting and painting into poetry.

He cleverly manipulated poetic visions, and they changed for him into a canvas painted with strange beings of graceful form. Or he attacked pictured images with mysterious acids and they dissolved into fluent poems. How often have I been afraid that picture he gave me—*The Tree of Jewels*—which I have in my house, hanging over the mantelpiece, would not be there in the morning when I got up, and in its place on the wall there would be a poem, the lyrical precipitate of the vanished painting!

When I was least expecting it, I met him in Washington, in 1939, in the salon of our friends Gloria and Fernando, with a white beard, so timid, so dissonant, that even his own eyes laughed at it.

It could not be his. I accounted for it to myself in this way. As he is, besides poet and painter, an historian of art, he was now studying something of El Greco, and in order to move about more easily among his personages, he had stolen that beard from one of them, as a countersign. From what El Greco would it be; what museum would lack a phantom beard, a cold flame?

So true was my conjecture, that when I saw him a year later in Mexico, his chin was smooth, with the clean shave of the students of the *Residencia*, and what fell from his lips were

3

words without a grey hair, unworldly, happy words, " Do you
know, Salinas, I am going to marry Consuelo? "

He said this to me with his invariable smile, in that garret,
opening out on a roof, where he lived. " My little roof-top "
he called it. And the Andalusian words—Carmona, Ecija,
Osuna, stalk of pinks, little shirts spread out in the sun—with
the diminutive, so very Andalusian, vibrated in the marvellous
air of the valley of Mexico, like a nostalgia thrown off casually
towards his native Bética.

To Federico García Lorca—poet, no, walking poetry, for that
warmth, that effervescence, that animation that pervaded his
whole person wherever he went. You felt him coming long
before he arrived, he was announced by impalpable messengers,
warnings like the stage-coaches of his native country, jingling
of bells through the air. When he had gone, he stayed on,
continued with us, surrounding us still with echos, until suddenly someone said:

" But has Federico already left? "

He always had a following. All of us followed him, like the
small boys of the town, who run after the drum and fife that
announce the Punch-and-Judy show, because he was the
fiesta, the joy that was suddenly found among us, and we had
to follow it. He was followed by many, we poets trailed
after him; the children, enchanted by the thousand ways he
knew to amuse them; queer people, the monsters discovered by
him who had odd accomplishments, such as imitating the Afri-
can drum with the voice, or barking out poetry, and who were
like his very faithful fools. Women followed him with their
somewhat tender glances, with the eyes of a mother, as if they
had a foreboding that he was going to leave them soon. When
fame came to him, before and in greater measure than to any
of the others, Federico from time to time felt important—he
who was so, to such a great extent—and becoming serious, he

tried to let some weighty doctrine fall from his lips, to voice
the opinion of a master. But as if in the act he saw himself in
a hidden mirror and did not like himself in that affected rôle,
he would break into peals of laughter that would rise in the
air like colored bubbles.

How many nightingales of the Alhambra, how many little
old women of the Vega, how many boys of the Albaicín, how
many elves from nowhere, sang, laughed, wept and sighed to
Federico, within his many-sided personality! How many beings
had joined him, had gone to live in him, attracted by his
winsomeness!

Thus it flashed upon me one night when he was reading
Doña Rosita the Spinster in my house; the lines of Don Luis de
Góngora fitted him as if fallen from heaven.

> . . . author of plays
> In his theatre set up on the wind
> He would clothe shadows with beautiful form.

He set up his little stage in the air and with voices, groans,
cries, laments and songs of *his people*, those who dwelt within
him, he clothed with marvellous reality the words that fell
from his lips.

" Federico," I said to him that night, " what theatrical company will put on the play better than you do it? "

He was generous, very generous. He went to the piano for
one who asked him for songs, he recited for those who intoxi-
cated themselves on those sprees of poetry that he stimulated
in two seconds, changing the whole atmosphere, just by opening
his wide mouth and beginning,

> Green, oh I want you green . . .

With colored crayons he painted pictures for children, which
their elders then preserved. That St. Nicholas he painted for
Solita, my daughter, in two minutes, that I framed, and when

he came another day and found hanging on the wall very formally, started him laughing, quite surprised at his own work, and he said to me:

" I say, do you know it is good! I like it! It is as cute as that of the Albaicín! "

Yes, all that he did was good, good within or without rules, canons, criticisms, good even when it was bad; for he did everything from the roots of his being, from his very first day.

His poetry began to sing to Federico the day of his birth.

To Jorge Guillén—the fraternal, that one hardly dares to speak of because he is like family. I look back on our lives, and I see only agreements that are joyous and coincidences that are amazing.

In Paris, the cold grey quadrangle of the Sorbonne; in Seville, the gardens of the Alcázar, the Cruz del Campo, the Giralda, a pointing finger in the distance; Cambridge, the court-yard of Queens and the ancient wooden bridge at the " backs "; and now Wellesley, dishevelled girls on tidy lawns of the College, carols in the snow at Christmas, little trips to the Boston Library.

To all these places I came first, as the elder brother, who goes to see if everything is right, before telling the younger he may come; and then when I left—that is the worst of it—he came to live there as I had lived, each time wondering more at the constancy of our parallel destinies. And how different we are! Entire master of his absent-mindedness, of his attention, confused at a street-crossing, as when his little eight-year old daughter, Teresa, said to him in a motherly fashion, on the edge of the sidewalk, " Papa, give me your hand, don't let an auto knock you down."

Very attentive, on the other hand, with the hundred eyes of the understanding open, when he is about to cross, on a tenuous cord of heptasyllables, the abyss that separates the borders of prose and poetry, and that we see him cross without fear, very certain that nothing will happen to him; for he knows what he is doing.

Bewildered, as on that day in New York. I don't know whether he will like me to speak of it. He had an appointment at Hotel Pennsylvania, and to reach there he did everything wrong. He took the wrong subway train; when, desperate, he arrived at the hotel in a taxi and took the elevator, he got off two floors too soon, and finally on the right corridor, he mistook the room.

All this is true. But it is also true that when he goes in search of a poem, he enters by the most direct subway, without hesitation, he finds the elevator—that elevator of his—the strongest of Spanish lyric poetry of to-day, that

> passes through all the air
> till it reaches to the highest sphere

and leaves behind the calculated rhetoric of iron and cement of the sky-scrapers of his day to rise to an immortal air.

Absolute fidelity to himself, to the best that is in him, with all that means of simplicity and pride. There is no need to leave anything—beware of the inexpressible, framing those pitfalls into which many of us have fallen—to leave anything within the poem but the roots, like the plant that never stops half-way, nor ever stays its growth until its hidden talent for perfection forms the perfect flower. We must tell all the good that is in things. Supreme consciousness, high castellany, of what is in its centre.

Since his first poem fell into the clear water of the Spanish tongue, his song has gone on broadening, in successive waves, more ample each time, of greater reach, but always subject, obedient to the centre itself, as in a work of natural geometry, geometry not of the office and calculation, but that of the free air of God.

How many natural geometries there are, formed there before the eyes of all, arabesques of the snailshell, many-sided minerals, veining of green leaves!

Whence comes to Jorge that luminosity in which he wraps the most opaque word of the language and draws from it a lasting lustre, that well-aimed clarity—as they say of hunters, " where he fixes his eye, there he places the bullet "—so where he fixes his desire for the poem, there he places the poem?

He always hits the white bull's-eye. There is created around what he sings a whiteness, a clarity of joyous understanding. It comes from the spiritual stature of the man, from his always watchful consciousness. And it clothes him with that air of mastery without affectation, of example without precept. For he, a professor or official instructor, never teaches a lesson except in the only way that all should teach if we were able, saying " this is done so," and doing it.

Handing us simply the perfect work.

To Gerardo Diego—grave, stiff, husband of Carmen for many years, but who cannot resist the desire to amuse himself now and then with Lola.* A long face with pronounced features, he is inexpressive, silent often. There are times when you cannot get a word out of him.

But suddenly his face flushes, his eyes sparkle, and he tears off furiously down hill on a tirade of indignation.

" It is intolerable, what those old men of the Academy have done with Góngora! "

And Gerardo goes from one group to another, asking for signatures, stirring up indignation, with a manifesto which will make

* Some years ago Gerardo Diego edited a poetry review entitled *Carmen*, the Latin name for poem. That review had a humorous supplement to which he gave the name of *Lola*. Thus in his poetry, Gerardo Diego passes from the serious to the humorous.

all the legs of the Academy's armchairs tremble—a form of academic earthquake.

He is an enthusiast for *the cause*. *The cause* is always poetry. The most ancient or the most modern, that of Soto de Rojas or of Huidobro, that of Lope or of Juan Larrea. He is a dangerous element, an agitator. If there were a Civil Guard of rich and powerful Letters, more than once Gerardo would have gone handcuffed down the high-road with two sonnets with a refrain.

And this is what they say, the scandalized families, when the child reaches, in the fourth year of high school, the subject of Spanish Literature, that of Professor Gerardo Diego.

"The worst of it is, that literary anarchist is a professor and we have to put our children into the hands of a man who has written verses like

Love, love sisterly corpulence.

It is shameful! Things happen in Spain that happen nowhere else."

For in fact, like the misguided maiden in a low-cut gown, who after having gone on a revel till three o'clock in the morning in dance halls, with one and another—the one and another in this case, being ultraists, dadaists, surrealists, creationists, and other persons of evil poetic lives—the following morning dons her little mantilla, and with well-buttoned gown, goes with her mother to nine o'clock mass, as if nothing had happened. So Gerardo after having stoned the windows of the Academy, drops his Manual of Foam, grabs his manual of rhetoric and poetry, and elevated on his professorial dais, begins his lesson.

"There are various classes of hendecasyllables. The anapestic . . ."

A deserter? A turncoat, from Max Jacob to Horace, from ultraism to the Sevillan School? An irresolute? A wanderer?

No, a faithful follower of the Lady who understands and pardons all, of Our Lady of Poetry, who wears a wide blue mantle, sown with stars of gold as in the painting of Zurbarán, and who lifting her arms, gives shelter in its folds to all, the poet of yesterday and the poet of to-day—all equal in their much and in their little.

And before this image, that repulses no pure soul, Gerardo kneels and prays in Calderonian stanzas.

To Rafael Alberti . . . When he told us he had studied in the College of El Puerto, I never took it literally—the College of the Jesuit Fathers, in the city of El puerto of Santa Maria, in the province of Cádiz—but I took away the capital letters, and then it was true—college of the port, school of the seashore, free education of the seacoast, day and night.

Yes, there Rafael learned everything, all that we others do not know, all that he knows better than anyone else. Class on the beach, lesson on beauties of nature, shells, rosy colors of nightfall, curlings of wave, little jests of the breeze. Domine, sea of Cádiz.

I was in Burgos in 1926 and, suddenly, Rafael appeared, all excited in anticipation and surprise at the summons for the delightful trip. In a little automobile, the trunk filled with fragrant wines, his brother, agent for grape juices of Cádiz, was taking him as mounted footman to Santander. He was going to see *the other one!* The other sea, the northern one that he had never seen. I imagined him then as a messenger, sent by the king, carrying from sea to sea a secret memorandum of state, from the silvered salt-mines of San Fernando to the frowning heights of the Asturias of Santillana.

But the sea taught him also what was in the background, the horizons, the unknown one gave him, as always, the invitation, that which it gave to Baudelaire.

I do not sing that song
Save to him who goes with me.

The storm—because at his best Rafael is Rafael the tortured.
For years, from the time he was a lad, we saw on his forehead,
a frown that came and went, until in the course of time
it stayed there permanently. The sign of anguish, the mark of
the romantic. Even to the angels he brought tempest in the
most beautiful meeting that Spanish poetry has had with the
cherubim. What a rustling of the wind he stirred up among
them, creeping by stealth on a Bécquerian cloud into their high
domain of the four seasons! There he climbed to denounce the
humbug of the little angels of candy, of sugar-cakes, of colored
prints; of professional angels, of celestial configuration, with
their lists of personnel and promotions, many promotions. Clear
the way! Rafael, singer of left out angels, of left behind angels,
of the foolish angel, of the bad angel, of the strayed and the
immaculate. Defender of the proletariat of the angels; and
of any aristocrat among them. Since then, a romantic, he
respects nothing. The play was ended with singers, with
gipsies, the dalliance with flappers, aviatrices and little bull-
fighters. He leaves them behind—but always with us.

And now the college of the port, the sea of Cádiz, sends him
to submerge himself in other seas, the clamor of crowds, the
sea of man, temporal, civil. Seas—the extremes, like the intona-
tions of his angels, the Black and the Silver! A romantic in
wandering about the world, with a gun on his shoulder, like
Byron, on a Mediterranean island; with a lock on his forehead
like Shelley; with a Teresa at his side like Espronceda.

Where is he going?

Shot off. Shot off by poetry that chose him to discharge from
her bow as one of the sharpest, most brilliant, most singing
arrows that has crossed the air of Spanish lyric poetry.

Thus he is still in the high air, he does not fall, he is on his way to a target that neither he nor I know, that is determined for him in her secret design by his Lady Poetry.

To Emilio Prados—whom I have seen less often than the others. When he was in Madrid I was away. And then he became mysterious. Those who came up from Malaga to Madrid told us about it.

Truth or legend? A kind of modern hermit, no cave, no rules of conduct, no penances, no. Asceticism of the open air, bodily exercises, swimming, gymnastics; but like a hermit, withdrawal from the world, refusal of society, contemplation. And above all, worship of solitude, which he has never renounced. I see in fancy Emilio in a monk's cowl walking in a procession of Holy Week, in Seville, behind the image of Our Lady of Solitude, on the very edge of the garden of gold of her mantle, half nauseated by the odor of the spikenard and the heat of the candles that surround the Virgin to separate her a little from the air of the world. Emilio, the penitent, has made a vow to walk thus, and he goes singing silent couplets to his patron saint, those which will appear later in his books.

For this reason, he does well now in the great country of solitude and the baroque, in Mexico, where I saw him last. Every moment he blinks and squints his eyes as if he had to adjust them to the light, the daylight which is unwelcome to him. He must see better at night, for he is somewhat of an owl, as was Unamuno and at times Don Antonio Machado. And one reads and understands him better at night, for at night his veins loosen, and there flows through his verses tranquil blood, as the water flows through the canals of the Huerta, with the mournful gurgle of romance.

From time to time the news would come to Madrid, Emilio is not writing any more, he has retired from poetry. We never believed it. Bull-fighter moods, an Andalusian after all. He is

so terrible, so artful, he knows so much Latin, that bull, that
Emilio was afraid, he got out, throwing himself headlong from
the ring. He went off to the country. The only time that I
was in Malaga, I wanted to see him. They took me to a large
store on the main street, the establishment of his family, to see
whether there they could tell me of his whereabouts. It was a
beautiful shop. How I had to fight with myself not to buy a
toy garden of pasteboard with beautiful little dolls, dressed in
satin, scattered through it, that could be wound up, and each
little figure made a graceful movement, bowed the head, made
a step, or took off its hat, while the tocata of a music-box
spoke for all! I shall not forget the shop of Emilio Prados.

A very polite gentleman, his uncle or perhaps his father,
came to me. No, Emilio was not in Malaga, had not been for
quite a time. To see him? Difficult.

" You know how he is . . ."

That is it. How he is. Simply as he is, he has gone through
the world, half groping, appearing unexpectedly, secretly, and
beginning over again, to let himself be seen, to hide himself
away—in his verses, as he is, a sailor of his solitude.

To Manuel Altolaguirre—little Manuel. When he went off
to Paris, without knowing a word of French, with only the
universal language of his Andalusian lips which all understood,
without office or benefice, to see the world, I gave him a letter
recommending him to Mathilde Pomés, the ambassadress of the
new Spanish poetry in Paris, " Here you have Manuel Altolaguirre, angelic, useless; up to now he has lived hanging
miraculously above the earth by a thread that always supports
someone. In Paris you are not going to fail."

How unjust I was, calling him useless! For in truth, this
Manolito has worked more than any one of us, he is the only
one who has done things with his hands, with his muscles,
workman's work, spending hours and hours in a garret, sweat-

ing, smiling, falling asleep, watching come forth from his little
press the pages with freshly printed words, and not wanting to
stop, because as he said,

"The book is a little behindhand, you know, I should have
delivered it last week."

I know how the story of Manolito Altolaguirre began. He
was a boy in Malaga who one brilliant night dreamed that
heaven was an office for printing poetry. After all God is the
supreme Printer, Director, Author and Corrector of Proofs—
those awful proof-sheets that we bring Him all in one piece.
What an immense collection of types, scattered everywhere,
one has only to pick them up! For what appear to be stars,
planets, milky ways, galaxies from the earth, are so many infinite brands of type; and more, that are not seen. Master
cherubim, trained workmen, seraphim, apprentices, principali-
ties, set up the heavenly strophes.

(There are bad angels also. They are the errata of God).

And then for printing there are fine vaporous sheets, great
white surfaces, the cumulus clouds, special paper for editions
de luxe. And an inexhaustible supply of blue for the cover.
There is a great mass of printed matter, every morning they
melt down all the type, and by night there is a new supply.
Manolito's dream! But the worst of it is that there are no
printing offices in the clouds.

A couplet that is sung by Sevillian women says,

> If it were mine, if it were mine
> The factory and the tobacco, if it were mine,
> For its defense some cannon fine
> There I'd set up, some cannon fine.
> Since 'tis not mine, since 'tis not mine,
> I'll not set up those cannon fine, those
>   cannon fine.

Manolo gave heed to this incomparable lesson with Andalusian resignation. And since not in the heavenly, he established his printing presses in earthly spaces. A Don Juan of printing offices, he discovered them, conquered them, had violent love affairs with them, and then left them, because another with more beautiful type awaited him.

"What Bodoni, you should see it! There you could make things!"

We will have to draw a map of the world, like those of the adventurers of the sixteenth century, where is marked the itinerary of the printer—Malaga, Madrid, Paris, London, a leap, Havana, and now—who knows where! All classes of establishments, from the tiny forty-dollar office where he did everything, from the writing of the poem to the binding, to that veritable establishment—the most incredible one—that in the Street of Guzman the Good, with its workmen, who liked to call him Don Manuel, and who could not if they looked in his eyes and saw in him such a friend, such a comrade, one so like themselves.

And his poems! How much we owe to Manolo, how many has he left off writing in order to print ours! His poems continued to appear on the side, far from the printing office, pure, lofty, singing, like the Andalusian song of the fountain that keeps singing and singing in a patio of the Alhambra, and the water rises sometimes very high, marvellous, and at other times grows a little tired and sinks, because the Sierra Nevada sends less power.

Thus in a secret Andalusia of his soul, from which he has never stirred, in a little Andalusian garden where he is alone, his poetry flows and flows, while he journeys through the world in a printing office on wheels with Concha and Paloma.

To Luis Cernuda—I have not forgiven myself yet, and it is now some twenty-five years! I did not know him at the first trick. Months and months, from October to May, seated face to face in class-room number four, at the University of Seville. And, nothing!

"Luis Cernuda," called out the professor—that was myself—almost daily. I was checking the roll-call. And a broken colorless voice answered from a bench, neither very far back nor very far forward,

"Here! At your service!"

And why all this? Why did I have to call out, without wanting to, "Luis Cernuda," so many times in my life, while he, without wanting to, as many times—he never missed a class—had to answer me, "At your service." When one should call Cernuda softly, as he is no one's servant, his own master, a bachelor, running unbroken, unburdened through the world! But he was an official pupil of my class in Literature, my first year of teaching. We were both novices, he in his rôle, I in mine. And I did not know him, for almost a year a professor—and of Literature—was in the presence of the purest, most delicate, most accomplished poet born in Seville since Bécquer, without knowing it.

Of course, in those days he was writing very little poetry, and he never showed me one of his poems. But that has nothing to do with it! I have not forgiven myself yet. Has he forgiven me?

Then, suddenly, I knew it. They told me.

"Do you know, Don Pedro, that delicate little lad with the olive complexion, the one with the black hair . . . Luis Cernuda. He writes verses and I think, well, that they have something . . ."

Indeed they had! We went, some of the other boys and I, to his house in the Street of the Air. Fifth Avenue is not bad, Rue de Rivoli is not bad, and many, many others—in the memory of my vision, but that Street of the Air, that Street of the Air!

"Vehicles not allowed," said a sign at the corner. Not a wheel entered there, as in prosperous civilizations. In that box

of resonance there sounded only hoofs of the mule, cries of
the bread-vendor, " Pan d'Alcalá! ", and tapping heels of girls,
in everyday mantillas with low combs, returning from mass in
the near-by church. So human was it, made so according to
the measure of man, that you had only to stretch out your
arms, and one hand touched the pink paint of the house on
the right, and the other, the plaster of the opposite wall. The
street was closed as they say in the children's song. "A tapar
la calle que no pase nadie" (The street is closed, let no one
pass).

And no one could pass, except the eponym for whom the
street was named, the delicate air of the Aljarafe.

And there Luis Cernuda had his home—a plain, simple,
modest house—no vases, no little tile saints, no pottery knick-
knacks nor metal magnolias—the walls white, the iron lattices
painted green. I shall always go in search of him there, or in
search of his poetry.

Are they not the same?

For there I learned to know him . . . somewhat more. He
is difficult to know—sensitive, shy, keeping his intimacy for
himself alone, and for the bees of his poetry, that fly back and
forth making their honey in there, desiring no other garden.
His fondness for careful dressing, his suit well cut, his hair
very smooth, those perfectly tied cravats, is nothing but the
desire to hide himself, wall of the timid, shelter from the bad
bull of the public eye.

Within he is crystal. For he more than anyone is like the
Licenciado Videriera of Cervantes' novel—the madman who
thought himself a glass show-case—he more than anyone holds
people off from himself, for fear lest they break something of
him, he is the most rare.

And, after all, why would he not be? If one feels in his
presence an affection, a solicitude, as towards all that is super-
latively delicate? If his poetry is of glass, of airy substance,
perilously blown up to the utmost limit, so it seems that the

bubble is about to break, when it suddenly stops, accepting its
final form miraculously? If through his verses the world is
seen as through a crystal, now limpid, now wet by rain or a
tear? If his poem, should one barely touch it, gives forth vibra-
tions, mysteries of musical murmurings, like the finest glass of
the shores of the Adriatic?

To Vicente Aleixandre—There is no doubt of it. This strapping youth glowing with health, his face fiery red, has just
come from a game of out-door sports; perspiring from the violent
exercise, he must have rubbed down well under the shower.
And now, in street dress, in the faultless suit of a fashion-plate,
elegant in manner, he comes towards us with a smile, so frank
and outgoing, that it is needless to shake hands, his smile
does it all. What game has he been playing—tennis, football?
Because only the continuous contact of fresh air with the skin,
and the joy of life while jumping and running on a green field
behind something that matters nothing, could give to the
physiognomy that kind of complete epidermic felicity.
" Well no, Sir! But, don't you know? "
" I! Why, what? "
Vicente is delicate, very delicate in health. He has to take
care of himself. And for years he has spent days and days
quietly stretched out in the sun, on a cot, in the garden of his
home. As his parents are very devoted to him, in order that he
may expand his soul, they have placed before him vast crystalline spaces of air, in the background mountain crests with
touches of snow and blue of superior quality, equal, equal to
the Guadarrama.
And therefore Vicente's eyes, because they see nothing else,
gaze on nothing but the transformations of blue into the crystal
of air, have stayed thus, such crystalline blue. Under no cir-
cumstances does he go out at night. When now and then
Vicente comes to one of those gay lunches that we have at
Buena Vista or in the restaurant of the Jai-alai Court, we

celebrate joyfully, he is received as the mysterious traveller
who lands for a few hours between two distant journeys. We
find the best seat for him, where there is no draught, a special
meal is ordered for him, and we all say to him:

"You are very well, Vicente, you are wonderful!"

And he like a little boy, never leaves off smiling, talks
excitedly, and enjoys the holiday to the full in chatter and
laughter. He will only stop smiling—say I—when there in the
quiet of his garden, in the mornings, when he is most alone,
without moving, leaving his body as security, reclining in the
chaise longue, he may make his escape from the sun, the birds,
his blue eyes, to plunge into that anguished world of long sad
cadences, made up of dreams of forests piled one upon another
—wooded fields of paradise, groves of purgatory, infernal
jungles—where the most unblemished trees cannot escape from
the climbing vines that wrap them round, and they indissolubly
intertwine like good love and foolish love in the feeling of man.

For this strapping youth, so smiling with us, in appearance
a lover of out-door sports, in reality frail, this Vicente, delicate
and apart, who never goes where people go, has discovered the
most tragic form of compensation, love equal to desperation.
And he spends his time—a mathematical calculator of its pain—
working it out in lyrical combinations, whose result is always
the same, love, plus desperation, equals poetry, profound,
strangely moving poetry.

And to one who is not here, in this anthology—not through
Miss Turnbull's fault—and who nevertheless is close to all of us,
the one of whom I have thought most, of those distant in
Spain. I must place his name here, as an act of justice of the
heart—Dámaso Alonso; he will not escape from poetry that he
hardly wishes to write, but which lies waiting in ambush for
him at all hours, until it may triumph.

4

José Moreno Villa

1   1   1

JOSÉ MORENO VILLA was born in Malaga in 1887. His early education was gained in a Jesuit school at El Palo. At the age of eighteen he went to Germany to study chemistry with the intention of following a business career, but after four years there he returned to Spain, having decided to give up business, and in 1910 went to Madrid where he studied history, art and archæology. There he began to write, and his first articles and his first book of poems, *Garba*, were published in 1913. In 1921 he became librarian of an Institution in Gijón, and later he held a similar position in Madrid. From 1927 to 1933 he published the review, *Arquitectura*. His trip to North America in 1927 resulted in the little prose volume, *Pruebas de Nueva York*. He has travelled in France, England, Germany, Switzerland and Italy and to-day is living in Mexico.

Since 1924 he has cultivated painting more than poetry. Poetry and painting, he thinks should make use of elements which formerly were not considered possible. He says: "One of the things which differentiates modern poetry from the old, is the unlimited richness of the elements that it uses . . . Yesterday only the pearl, the ruby, the dawn, the rose and other beautiful objects—to-day all elements are related in vivid and quivering images."

Speaking of the poetry of José Moreno Villa, Federico de Onís says: "From his very first book his poetry bore within itself a force of originality which, in spite of all his indebtedness to it, made him definitely withdraw from modernism. His subsequent evolution in verse and prose has been varied and complex, and although he has been connected with the general development of literature, his work has remained—cold and austere—a little apart from the rest."

Books of poetry published: *Garba*, Madrid, 1913; *El pasajero*, Madrid, 1914; *Luchas de pena y alegría*, Madrid, 1915; *Evoluciones*, Madrid, 1918; *Collección*, Madrid, 1924; *Jacinta la pelirroja*, Malaga, 1929; *Carambas*, Madrid, 1931; *Puentes que no acaban*, Madrid, 1933; *Salón sin muros*, Madrid, 1936; *Puerta severa*, and *La noche del verbo*, Mexico, 1940.

EL FUEGO

El fuego es cosa celeste,
y cuando se va, la tierra
no es nada, desaparece.

Da la tierra buenos frutos,
agua, centeno y albergue;
pero no es el fuego planta
que por la campiña crece.

Lo tenemos de prestado.
El fuego es cosa celeste.

Cuando venga a ti, será
mañana triunfal y alegre
dentro del alma. Con mimo,
con mil zalemas retenle,
que de otro modo se irá . . .

que el fuego es cosa celeste,
desconocida, enigmática,
fugaz, como el aire, leve . . .

Garba

FIRE

A heavenly thing is fire,
and when it departs, the earth
is naught, disappears entire.

The earth gives us good fruits, rye,
water and shelter; but fire
is not a mere plant that grows
in arable land at desire.

It is something lent to us.
A heavenly thing is fire.

To-morrow will be triumphant,
joyful, when the purifier
comes to your soul. With a thousand
salaams and caresses aspire
to detain it lest it flee . . .

for a heavenly thing is fire,
fleeting as the air and light,
and an unknown mystifier . . .

Hoy el hacha ha tocado casi mi nacimiento.
Por esta boca roja se va todo mi anhelo.

Ya menguaron las ansias vehementes y confusas.
Un hacha congelada sobre mi sien fulgura.

Besos de cielo, azules; besos de estrella, cálidos;
buscad para vosotros un nuevo enamorado.

A estas heridas largas, mártir Bartolomé,
no las riega el efluvio de un divino querer.

Mi amor se ha deslizado por esta boca roja;
quedé cuerpo sin jugo, una seca maroma.

Me voy rápido al fondo. Sin esencia, sin alma,
los cuerpos espectrales dan en la cueva helada.

Hoy el hacha ha tocado casi mi nacimiento.
¡Muerte, si yo no quise saber de tu secreto!

El pasajero

Alegría no está en la estrella
ni en la mar de la noche, blanda.
Alegría vive en la selva
más confusa y enmarañada,
y allí brinca, retoza y huye
como cabra montés del alma.
No, no estás en la estrella absorta,
ni en la mar de la noche blanda . . .
¡Alegría, cabra montés
que aparece en la cumbre y salta! . . .

Luchas de pena y alegría

To-day the axe has almost touched my being at its source.
Through these red lips there oozes all my desire and my force.

Now my vehement and my confused longings are decreasing.
Over my temples there is flashing an axe that is freezing.

Azure kisses of heaven; oh, passionate, starry kiss;
seek for yourselves a new lover, seek elsewhere for your bliss.

Oh martyr Bartholomew, these copious wounds of mine
are not bathed in the effluvium of a love divine.

My love has slipped between these red lips, there is now no hope;
I am naught but a body without sap, a dried up rope.

I am rapidly sinking. Without essence, without soul,
ghostly bodies descend into the icy grotto, their goal.

To-day the axe has almost touched my being at its source.
Death, what if I did not wish to know your secret perforce!

Joy cannot be found in the star
nor in the mild sea of the night,
but joy lives in the most confused
depths of the thickly tangled forest,
and there it frisks, gambols and escapes
like a wild goat of the soul. No,
you are not in the raptured star,
nor in the sea of a mild night . . .
Joy is a wild goat that appears
on the high mountain crest and leaps.

MECÁNICA

Si el toro yace y el pájaro duerme,
Diana contempla a su pastor;
si el barco peligra y el río no para,
al limbo del sueño va el amor.

Si resucito de mi noche,
y Apolo vuelve todo sol,
es porque río, barco, toro,
árbol, Diana y Endimión
son celestes y son mecánicos,
hijos de Zeus y del reloj.

Abre su puerta rosa la Aurora;
todo brinca y recobra voz;
canta el árbol su verde aria,
y a cielo suena el ruiseñor.

¡Qué larga dicha ofrece el agua,
el aire, el trigo, el sol!
"Esta leticia del campo claro
es eterna", dice el amor.

Pero en la ruta se despeña
con sus caballos Faetón,
y la fuerza prima del alma
es a la tarde sopor.

Ya no suenan los rubios cánticos
—de noche es plata la canción—.
Ya no queman grandes anhelos
—de noche es otro el corazón—.

POWER–DRIVEN

If the bull is quiet and the bird is sleeping,
Diana gazes at her shepherd;
if the ship founders and the river flows on
love goes to the limbo of sleep.

If I revive from my night,
and Apollo returns all sun,
it is because ship, bull and river,
the tree, Diana and Endymion
are from heaven and power-driven,
children of Zeus and of the clock.

The rosy dawn flings wide her gates;
all things frisk and recover voice;
the tree warbles its verdant air,
and the nightingale sings to heaven.

What long delight the water offers,
the air, the wheat fields and the sun!
" This gladness of the open country
is eternal ", thus speaks love.

But as he goes on his way, Phaeton
is overthrown with his horses,
and the first strength of the soul
is in the evening, drowsiness.

Now no longer sound the red canticles
—for the song is silver at night—.
Now no more are kindled great desires
—for the heart is elsewise at night.

Vela mi sueño, árbol que creces
día y noche a lento sabor.
Vela mi sueño, río que pasas
día y noche a lento rumor.

Vela mi noche, tiempo que miras
sin entrañas la creación.
Vela mi noche y haz que sea
profunda, sin rendija de sol.

Antología

Watch over my sleep, tree that grows
by day and by night with slow savor.
Watch over my sleep, stream that passes
by day and by night with slow murmur.

Watch over my night, time that gazes
without mercy upon creation.
Watch over my night, that it may be
profound, with no crevice of sun.

DE MAGIA

Cerradas todas las fauces
de la noche,
abiertas las maravillas
por la aurora,
se levantan los difuntos
y sonríen,
y trabajan y caminan
y se mueren al cerrar las maravillas
el ocaso,
al abrir todas sus fauces
la honda noche.

Colección

CONGOJA

Súbitamente,
al bajar la tiniebla,
te sentí muy lejos,
en una región indefensa
y a merced de todas
las grandes inclemencias.
Te sentí borrosa
y plañidera;
el corazón sin ancla
y sin vela.

Colección

MAGIC

When closed are all the jaws
of the night,
uncovered the marvels
by the dawn,
the dead arise from their tombs,
they smile,
they work and they walk,
but they die as close the marvels
at setting sun,
as open all the jaws
of the deep night.

ANGUISH

Suddenly
as the darkness fell,
I felt you were far from me,
in a distant region defenceless,
unsheltered, at the mercy
of all the wild elements.
I felt you were shadowy
and sorely lamenting;
your heart was without anchor,
without sails.

DESCUBRIMIENTO

Yo he sido ciego:
tal es mi alegría
delante de las múltiples
presencias de la vida.

¡Qué campos me hizo Dios!
¡Qué pueblecitos en el campo!
¡Qué anímulas errátiles
y líricas navegan
por el mar invisible
del aire, sede suya.

Ciego, ciego . . . Y ahora,
con profunda codicia,
quiero beber colores
y formas y perfiles
sin perder un matiz
por sellado que sea.
Aquel chopo que hunde
su pie verde en la umbría
y su copa en el oro
invisible del aire . . .
Aquel arbusto gris,
declinante a morado,
y aquella iglesia tenue,
rosa y plomo, en la cuerda
tensa del horizonte . . .

¿En qué maestro fío
si me dice que hay

DISCOVERY

I have been blind, so blind!
but now great is my joy
in the manifold displays
and presences of life.

What country fields God made me!
What tiny, country towns!
What little, lyrical,
wandering souls swim
through the invisible sea
of the air, their element!

Oh blind, blind have I been . . .
And now, with thirsty craving
I fain would drink all colors,
all forms, all shapes and outlines,
without losing one hue,
howe'er hidden it be.
That poplar tree that dips
its green foot in the shadow
and its tip in the gold
invisible of the air . . .
That little clump of bushes,
grey, with shadings of purple,
and that tall, slender spire
of lead and of rose on the
tight rope of the horizon . . .

What master shall I trust
if he tell me before

delante de mis ojos
siete colores blancos,
siete colores grises?
Mi fe no se conforma
con palabras. Mi fe
se confía en la mano
de la vista espaciosa.
Con ella, en las jornadas
mates del dulce otoño,
toco el misterio gris
de las cosas veladas.
Con ella, en los radiantes
albores del estío,
sobredibujo el neto
perfil de los paisajes.

" ¡Maravillosa vista!",
claman los caminantes
en el descote limpio
de una teta serrana.

—¿Maravillosa vista?
¡Ojos maravillosos!

¡Ojos maravillados,
que asistís al concierto
sigiloso del mundo,
mil veces más etéreo
y sutil que la música!

Colección

my very eyes there are
seven colors of white,
seven colors of grey?
My faith cannot be satisfied
with words. Oh no, my faith
trusts itself only to the
hand of limitless vision.
With it, on lusterless days
in the soft autumn season,
I touch the grey mystery
of the veiled, hidden things.
With it, on radiant
dawns of the virgin summer,
I trace over the simple
outline of the fair landscape.

"What a wonderful sight!"
the wanderers exclaim
at the unsullied breast
of a high mountain peak.

—What a wonderful sight?
Rather, wonderful eyes!

Indeed, wondering eyes,
that take part in the concert,
mute concert of the world,
a thousand times more subtle
and ethereal than music!

UN VUELO; NADA

Pasó, con vuelo incierto,
por el jardín sombrío
la mariposa blanca.

La seguí por el viento;
por encima del río
y del azul montaña.

No pensaba en el tiempo,
ni en los seres queridos,
ni en la ignota distancia.

Era el instinto abierto
a la flor del estío
y a toda la fragancia.

De aquí su vuelo incierto,
su vaivén raquítico,
su liviandad fantástica.

La seguí por el viento,
más allá de los ríos
y los montes del mapa.

Nos perdimos en medio
de un verde laberinto
fabricado en la nada . . .

Es el destino
del alma.

                              Colección

NOTHING BUT FLIGHT

There passed with fitful flight,
through the garden in shadow,
a pure white butterfly.

In the wind I followed it
above the winding river
and the distant blue mountain.

It had no thought of time,
nor of beloved beings,
nor of the unknown distance.

It was the express instinct
for the flower of summer
and all its honied fragrance.

Hence its uncertain flight,
its weak here and there flitting,
its fantastic frivolity.

In the wind I followed it,
far beyond the rivers and
mountains marked on the map.

We lost ourselves at last
amidst a fair green labyrinth
fashioned in airy nothing ...

That is the fate
of the soul.

ANHELOS

Alondra de mi silencio,
canta, pero acércate;
quiero música y cuerpo.
Alondra de mi silencio,
como tu voz
vibrará en tus ojos lo inmenso.
Alondra de mi silencio,
me estremece tu canto
como a las hojas el viento.
Alondra de mi silencio,
vale la vida, por ti,
lo eterno.

Colección

CONTRARIOS

Un mirlo bajó al almendro:
en busca de lo blanco lo negro.
Todos vamos
con ansia de complemento:
si somos tierra,
en busca de cielo;
si somos aire,
en busca de encierro;
Si somos quietud,
en busca de tormento;
si somos fuerza,
en busca de blando misterio.

Colección

LONGINGS

Oh lark, lark of my silence,
now sing, but draw near to me;
I long for music and substance.
Oh lark, lark of my silence,
as in your voice,
so in your eyes the infinite shall vibrate.
Oh lark, lark of my silence,
your mute song makes me tremble
as leaves that sway in the wind.
Oh lark, lark of my silence,
this my life, through you, equals
the eternal.

OPPOSITES

A blackbird flew down to the almond tree:
the black in search of the white.
All of us
with a longing for completion:
if we are earth,
go in search of heaven;
if we are air,
go in search of a prison;
if we are peace,
go in search of misery;
if we are force,
go in search of gentle mystery.

EL AVENTURERO

Allá va la ráfaga;
sin reflexión ni carga doliente,
sin ternuras ni caridades,
fuerza errátil,
disparo de un dios caprichoso.
Un día le coronan soles
y una reina baila en su mano.
Otro día va con cadenas
por el vía crucis del castillo.
Su frente jamás se nubla;
su pulso no se desboca;
su estrella nunca se rinde.
Le ladran canes,
le maldicen viejas,
sin que abandone la sonrisa
su semblante lívido.
Bien o mal,
éxito, fracaso,
todo es necia fórmula,
relatividad, mentira.
Lo real y lo verdadero
es el choque con la fortuna;
el afrontar sin recelo ni estudio
lo invisible, lo insospechado.

Colección

THE ADVENTURER

There goes the roistering wind;
care-free and bearing no grievous burden,
without tenderness or charities,
a wavering force,
discharged by a god of caprices.
One day suns circle over him
and a queen dances in his hand.
Another he goes laden with chains
on the *via crucis* of the castle.
His forehead never is darkened;
his heart beats do not run riot;
his star does not ever surrender.
Dogs bark at him,
old women curse him,
without the smile ever leaving
his livid countenance.
Good or ill,
fair success or failure,
all is foolish formula,
relativity and falsehood.
The actual and the true
is the impact with fortune,
the confronting, without fear and artless,
of the invisible, the unsuspected.

LA COMETA

Papel y cañas y un cordón
para no alejarse del mundo.
Subir, bajar en cabeceos
inexplicables, absurdos,
y luego fijarse en el cielo
distante, sin susto,
sin temblores.
A lo sumo,
regañando, tironeando
del cordón del mundo,
por el cual estamos arriba,
en el profundo.

Colección

IMPULSO

De prisa, de prisa:
lo que se cayó no lo cojas.
Tenemos más, tenemos más;
tenemos de sobra.

¡De prisa! ¡De prisa!
Lo que nos robaron, no importa.
Tenemos más, tenemos más;
tenemos de sobra.

¡Derechos, derechos! . . .
No te pares; coge la rosa
y a la mendiga del camino
dale la bolsa;
porque, amigo, tenemos más;
tenemos de sobra.

Colección

THE KITE

Paper, little sticks and a cord
so as not to recede from the world.
Going up, coming down in jerks
inexplicable and absurd,
and then standing still in the sky,
far up, without shock,
without tremor.
At most
grumbling and twitching and tugging
at the cord of the world,
by which we are kept aloft, soaring
in heaven's depths.

IMPULSE

Let us make haste, make haste!
That which falls to earth do not gather.
For we have more, for we have more;
we have our full measure.

Let us make haste, make haste!
What they stole from us does not matter.
For we have more, for we have more;
we have our full measure.

Keep right on, keep right on!
Do not loiter; gather the rose
and to the beggar by the wayside
give up your purse;
for, my friend, we have more, still more;
we have our full measure.

COMIENDO NUECES Y NARANJAS

Comemos las nueces, Jacinta,
que son como seres viejos acartonados,
y comemos naranjas, Jacinta,
que son como anticipos de tu juventud.
Qué sentido tan vario este del paladar.
Lo seco y sin aroma,
lo aromático y tierno.
Nueces, nueces pardas, arrugaditas
informes, acartonadas;
nueces par jugar y apedrear,
que hay que romper con herramientas
y comer como simios.
Naranjas, naranjas de fuego, de chorreosos gajos,
carne—¡oye¡ carne en pura geometría,
donde metemos cuchillo y uña
codiciosos, como las reses bravas.

Jacinta la pelirroja

¡DOS AMORES, JACINTA!

¿Hay un amor español
y un amorzuelo anglo-sajón?
Míralos, Jacinta, en las arenas jugando.
Míralos, encima de la cama, saltando.
Mira ese, medio heleno y medio gitano.
Mira ese otro con bucles de angelillo intacto.
Uno es un torillo—torillo bravo—
y otro, encaje o capa—lienzo de engaño—.
Mira los ojos negros
y los azules claros.
Mira el amor sangriento
y el amor nevado.
El torillo-amor con su flor de sangre
y el amor-alpino, de choza, nieve y barranco.

Jacinta la pelirroja

EATING NUTS AND ORANGES

We are eating nuts, Hyacinth,
that are like ancient dried up creatures,
and we are eating oranges, Hyacinth,
that are like anticipations of your youth.
How varied is the sense of the palate.
Now dry and without aroma,
and again fragrant and juicy.
Nuts, brown nuts, wrinkled and shapeless
and nuts that are desiccated;
nuts to use for playing and throwing,
which must be broken with nut-crackers
and eaten as do the monkeys.
Oranges, oranges of fire with dripping divisions,
and meat—yes, listen! meat in pure geometry,
where we, with greedy intent, insert
knife and nail, like so many wild animals.

TWO LOVES, HYACINTH!

Is there a Spanish love
and a little Anglo-Saxon cupid?
See them there, Hyacinth, playing on the sands.
See them over the bed leaping and prancing.
See that one, half Greek and half Gipsy
and that other with ringlets of an angel.
One is a bull, a brave little bull
and the other waves a cape, deceitful.
See the sparkling black eyes
and the shining blue ones.
See the glowing, ruddy love
and the fair, snow-white one.
The little bull-love with his flower of blood
and the alpine one of hut, of snow and of precipice.

Ya no vuela, ya no canta,
ya no es pájaro siquiera.
No es negro, pardo ni blanco,
no es sombra ni es entelequia.
Pero es el mío, es mi pájaro,
insensible a la escopeta,
inmortal, porque su cuerpo
es espíritu, mi letra.

Jacinta la pelirroja

A LA MADRUGADA

Cien trenes, cien barcos
y un millón de locos bailando.

Bajo las nubes y la luna
motores ciegos y voluntades oscuras.
Los peces duermen.
No sé quién es el buho de la mar.
Los pájaros duermen.
Los apaches del aire vuelan sobre el rabadán.
La oveja blanca y el pico negro
dibujan la violencia en el silencio.
Con el motor obtuso del barco
rima un corazón desvelado.
Con los émbolos de los trenes en marcha
funcionan dormidas, dilatadas las esperanzas.

Jacinta la pelirroja

It does not fly, does not sing,
it is not even a bird.
'Tis neither black, brown nor white,
nor shadow, nor realization.
But it is mine, my own bird
that cannot be killed with a gun,
immortal, because its body
is spirit, my written word.

AT DAWN

A hundred trains, a hundred ships
and a million insane people dancing.

Beneath the clouds and the moon
blind motors and dark desires.
The fish are asleep.
I don't know who is the owl of the sea.
The birds are asleep.
The apaches of the air fly over the watching shepherd.
The white sheep and the black beak
draw a picture of violence in the silence.
With the insensible motor of the ship
a vigilant heart keeps time.
With the piston rods of the toiling trains
hopes expanding in sleep beat in rhythm.

INFINITO Y MOTOR

Diminutas bandas peregrinas del aire
llevan de un hilo
tensa mi atención.
Con su disciplina, su frío y su mecha
¡qué lejos me encuentro,
de repente, a mi yo!
¡Nadie dispare sobre esta vida del cielo!
—en pluma y pico,
afán campeador—.
Nadie ponga cepos ni redes
a quienes vuelan volando su corazón.
Hay un ay en la copa del árbol
cuando pasa la banda
rozando su flor.
Hay un ay en el hacho del monte;
hay un ay en la nube sonámbula.
Hay un ay en la corte de Dios.
Sumergido en silencio verde
y en el silencio del campo del sol,
los giros errabundos se trazan
en armonía con mi yo.

Voy dibujando, creo dibujar,
según mi deseo interior,
la elipse, la parábola, el círculo,
y la muda espiral del amor.
Voy con un cántico insonoro
adornando mi aviación:
este vuelo que no sé si es mío,
de los pájaros o del creador.
Se acaban los tamaños del mundo,
y el tiempo pierde su reloj.
Las estrellas se caen al fondo,
no hay más que infinito y motor.

Jacinta la pelirroja

INFINITY AND MOTOR

Diminutive, wandering bands of air
hold my attention tense
with a filament.
With their discipline, their indifference and their fibres,
suddenly, how far from my "me"
I find myself!
No one may shoot at this life of the sky,
heroic aspiration
in feathers and bill!
No one may set traps or nets
for those who take heart for flying.
There is a sigh in the top of the tree
when the air passes
grazing its blossom.
There is a sigh on the crest of the mountain
and a sigh in the sleep-walking cloud.
There is a sigh in the court of heaven.
Submerged in verdant silence
and in the silence of the field of the sun,
the wandering draughts trace lines
in harmony with myself.

I am describing, I think I am describing,
in accord with my inner desire,
the ellipse, the circle, the parabola,
and the mute spiral of love.
As I go a soundless canticle
adorns my flight in the sky,
and I know not if this flying is mine
or that of the birds or the Creator's.
The world is without dimensions
and time loses his clock.
The stars fall to the depths,
there is naught but infinity and motor.

¿DÓNDE?

¿Acaso allí donde el mar y la tierra?
¿Tal vez donde los páramos y los pinares?
¿En el picacho donde el cielo y la roca?
¿O donde la raíz y la fuente?
¿Allí donde las sombras estelares
dibujan pasos de sonámbulo?
¿O donde se embarcan las notas
musicales para el viaje sin retorno?
¿Acaso aquí mismo,
donde te tengo,
donde te como los ojos con dientes de corazón,
para saber a qué sabe el tuyo?
¿Aquí, sin escenario, sin rito?
¡Sí! Aquí, celda desprendida de la urbe,
cabina, casa de caracol,
seno mágico,
volumen justo para dos combatientes.

Puentes que no acaban

WHERE?

Perchance there where meet the earth and the sea?
Perhaps in fragrant pine groves and in high, cold regions?
On the summits where are naught but rock and sky?
Or where lie hid the roots and the source?
May it be there where sidereal shadows
outline the steps of one walking in sleep?
Or where musical notes set forth
on the journey that knows no return?
Perchance just here,
where I have you,
where I devour your eyes with the teeth of my heart,
to know of what tastes your own?
Here, without setting or ceremony?
Yes, here in a cell apart from the city,
cabin, house of a snail,
magical refuge,
of just the right size for two who are facing each other.

6

¿CUÁNDO?

¿Cuando la flor del tilo y la flor de la adelfa?
¿Cuando las lluvias emigren narcotizadas de sol?
¿Cuando se aúpan los sembrados rubios
o, tal vez, cuando el mirlo pica la ciruela?
Dime si será cuando las estrellas en fuga
o cuando las ranas y los sapos parodian a los negros del jass.
Acaso prefieras la noche de los troncos al rojo,
cuando los montes salen en sábanas por ahí.
¡No! Yo lo sé. Tú quieres que sea
en el ínterin, sobre un punto,
al sonar el vocablo final,
cuando la luz de los ojos ya es sustancia en la saliva
y cuando las manos trémulas piden el aire
de los polluelos de la incubadora.
Un ángel se esquiva en los ángulos de tus ojos;
dos ángeles alzan los ángulos de tu boca.
El azahar ensancha tu respiración
y el horizonte carda tu melena rojiza.
¿No son éstos los signos?
¿No es el " cuándo " esa pompa sutil
que ya nos lleva
en ese su seno de olvido y mágica luz?
¿No sientes el " cuándo " de la esperanza
envolviéndonos en su película irresistente?
¿No ves que ya no hay más mundo
que el nuestro, sin ayer, sin mañana?
¿Y que todas las cosas están dichas,
y que todas las incertidumbres son ya deliciosa muerte?

Puentes que no acaban

WHEN?

In the time of the flower of the linden and the bay?
When the narcotics of sun banish rains?
When the golden wheat fields grow tall
or, perhaps, when the blackbird pecks at the plum?
Tell me if it will be when the stars are in flight,
or when frogs and tree-toads parody the negroes of jazz.
Perchance you will prefer night when logs are red-hot,
when the mountains wander around sheeted in white.
No! I know you want it to be
in the interval, at a period,
at the sound of the last word,
when the light of the eyes is a substance on the lips
and when trembling hands ask air
of the baby chicks in the incubator.
An angel hides in the corners of your eyes;
two angels lift the corners of your mouth.
Fragrant orange blossoms expand your breathing
and the horizon combs out your auburn locks.
Are not these the signs?
Is not the " when " that subtle splendor
that now bears us
on its bosom of forgetfulness and magical light?
Do you not feel the " when " long hoped for
wrapping us in its irresistible, filmy cloud?
Do you not see that there is no world
but ours, without yesterday or to-morrow?
And that all things have been told,
and all uncertainties now are delicious death?

Pedro Salinas

1   1   1

PEDRO SALINAS was born in Madrid in 1892. He studied in the departments of Law, Philosophy and Letters at the University of Madrid. From 1914 to 1917 he was instructor in Spanish at the Sorbonne, and from 1922 to 1923 at the University of Cambridge, England. After taking the degree of Doctor of Letters at the University of Madrid in 1917, he held the chair of Spanish Language and Literature at the University of Seville, and from 1930 to 1936 taught Modern Spanish Literature at the University of Madrid. He was Secretary of the International Summer University at Santander, and he has given courses of lectures at Oxford, Cambridge, Brussels and other European universities.

Coming to the United States in 1936 at the invitation of Wellesley College, he was professor there for four years. In 1937 he gave the Turnbull Lectures on Poetry at the Johns Hopkins University, and he has been guest lecturer at the Summer School of Languages at Middlebury College, Vermont, at the University of Southern California, Los Angeles, at the University of California, Berkeley, and in Mexico. Since 1940 he has held the chair of Spanish Language and Literature at the Johns Hopkins University, and at the present writing is on leave of absence at the University of Porto Rico.

He has made translations from the French of Alfred de Musset and Marcel Proust, and his own work has been translated into English by the present translator in the books, *Lost Angel and Other Poems* and *Truth of Two*.

Federico de Onís has said of the poetry of Pedro Salinas: " His verse is unique in its precise delicacy, its richness of images and its lyric beauty."

Leo Spitzer said of *La voz a ti debida*: " In this collection of love-poems, the duality of the lovers fuses with the metaphysical problem of the poet, who finds, in the mystic union, his reality—and unreality. Each single poem is a *moment métaphysique*: from a clearly delimited and specific situation are extracted the metaphysical implications. At the touch of this Spanish poet, who reincarnates Góngora and modernizes his conceits, thought immediately takes bodily shape of firm contour, mysticism is informed with the precision of natural science and modern technics; and, as if imagination could take to even higher flights when starting from the solid and the exact, the metaphors of Salinas have always a halo of dream, phantasy and other-worldliness around them."

Speaking of *La voz a ti debida*, Azorín says: " This book of Pedro Salinas is intensely dramatic. The poet dominates time and condenses it to a degree—a second contains centuries." And José Bergamín writes: " The true, human, unaffected voice of eternal poetry speaks to us in this book, this masterly poem."

Books of poetry published: *Presagios*, Madrid, 1923; *Seguro azar*, Madrid, 1929; *Fábula y signo*, Madrid, 1931; *La voz a ti debida*, Madrid, 1934; *Razón de amor*, Madrid, 1936; *Error de Cálculo*, Mexico, 1938; *Poesía junta*, Buenos aires, 1942.

71

Suelo. Nada más.
Suelo. Nada menos.
Y que te baste con eso.
Porque en el suelo los pies hincados,
en los pies torso derecho,
en el torso la testa firme,
y allá, al socaire de la frente,
la idea pura y en la idea pura
el mañana, la llave
—mañana—de lo eterno.
Suelo. Ni más ni menos.
Y que te baste con eso.

                                        Presagios

¡Cómo me duermes al niño,
enorme cuna del mundo,
cuna de noche de agosto!
El viento me lo acaricia
en las mejillas
y lo que canta en los árboles
tiene sonsón de nanita
para que se duerma pronto.
Suaves estrellas le guardan
de mucha luz y de mucha
tiniebla para los ojos.
Y parece que se siente
rodar la tierra muy lenta,
sin más vaivén que el preciso
para que se duerma el niño,
hijo mío e hijo suyo.

                                        Presagios

Soil. Nothing more
Soil. Nothing less.
And let that suffice you.
Because on the soil the feet are planted,
on the feet body erect,
on the body the head firm,
and there, in the lee of the forehead,
pure idea and in the pure idea
the to-morrow, the key
—to-morrow—of the eternal.
Soil. No more no less.
And let that suffice you.

How gently you rock my child to sleep,
enormous cradle of the world,
cradle of the August night!
The wind caresses his cheeks for me
and that which sings in the tree-tops
has the soothing sound of a lullaby
which quiets and puts him to sleep.
Tranquil stars watch over him,
from too much light and darkness
they guard and protect his eyes.
The earth seems to turn very slowly,
I feel it revolve on its axis
with no more motion than needful
to lull the child to sleep,
son of mine and son of yours.

En la tierra seca
el alma del viento
avisos marinos me daba
con los labios trémulos
de chopos de estío.
Alientos de mar
y ansias de periplo,
quilla, proa, estela,
Circe y vellocino,
todo lo mentían
chopos sabidores
de la tierra seca.
Y una nube blanca
(una vela blanca)
en el horizonte,
con gestos de lino,
alardes de fuga
por rumbos queridos
hacía
en el mar sin viento
de aquel cielo seco
de la tierra seca
con chopos de estío.

                              Presagios

On dry land
the soul of the wind
gave me news of the sea
with the tremulous lips
of the poplars of summer.
Breaths of the ocean
and longings for the voyage,
keel, prow and wake,
Circe and Golden Fleece,
of all did they whisper
the wise popular trees
of the dry land.
And a white cloud
(a white sail)
on the horizon,
with gestures of canvas,
boasted of flight
in desired directions,
on that sea without wind
of that empty sky
of that dry land
by poplars of summer.

No te veo. Bien sé
que estás aquí, detrás
de una frágil pared
de ladrillos y cal, bien al alcance
de mi voz, si llamara.
Pero no llamaré.
Te llamaré mañana,
cuando, al no verte ya,
me imagine que sigues
aquí cerca, a mi lado,
y que basta hoy la voz
que ayer no quise dar.
Mañana . . . cuando estés
allá detrás de una
frágil pared de vientos,
de cielos y de años.

Presagios

ORILLA

¿Si no fuera por la rosa
frágil, de espuma, blanquísima,
que él, a lo lejos se inventa,
quién me iba a decir a mí
que se le movía el pecho
de respirar, que está vivo,
que tiene un ímpetu dentro,
que quiere la tierra entera,
azul, quieto, mar de julio?

Seguro azar

I see you not, though well
I know you are here, behind
a wall so slightly built
of mortar and bricks, yet within the sound
of my voice, if I should call.
But no, I shall not call.
To-morrow I shall call you.
when no longer seeing you,
I imagine that you continue
quite near, quite close by my side,
and enough to-day the voice
that yesterday I would not raise.
To-morrow . . . when you are there
out beyond a fragile wall
of winds, of sky and of years.

THE SHORE

Were it not for the fragile rose
of white, white foam and the outline
which it in the distance is tracing,
who was going to tell me
that its breast was moving
in breathing, that it is living,
that it has within it an impulse,
that it desires the earth entire,
this blue, quiet sea of July?

BUSCA, ENCUENTRO

Llevo los ojos abiertos.
No te veo.
Estás dentro de la niebla.

Niebla:
con el mirar no la aclaro,
con la mano no la empujo,
con el querer no la mato.
Niebla.
La mirada ¿para qué?
y la voluntad, inútil.

Llevo los ojos cerrados.
No te veo, ya te siento,
ya te tengo.   Mía
estás, estoy a tu lado:
estás dentro de la niebla.

Seguro azar

SEEKING, FINDING

I keep my eyes wide open.
I do not see you.
You are enclosed in mist.

The mist:
gazing I do not pierce through it,
pushing I do not displace it,
wishing I do not destroy it.
The mist.
Gazing, but why?
and the wish, useless.

I keep my eyes tight closed.
I do not see you, now I feel you,
now I own you. You are
mine, I am by your side:
you are enclosed in mist.

TRIUNFO SUYO

No se le ve,
pero está detrás, seguro,
imperial rostro insufrible,
dueño de lo último.
Aunque me deje ganar
fingidamente un instante
¡qué falsa siento mi fuerza,
que él me presta contra él!
Yo lo sé:
lo mío no es mío, es suyo.
Lo eterno, suyo. Vendrá,
—¡qué bien le siento!—por ello.
Voy a verle cara a cara:
porque ya se está quitando,
porque está tirando ya,
los cielos, las alegrías,
los disimulos, los tiempos,
las palabras, antifaces
leves que yo le ponía
contra—¡irresistible luz!—
su rostro de sin remedio
eternidad, él, silencio.

Seguro azar

HIS TRIUMPH

He is not seen,
but he is behind, steadfast,
imperial face intolerable,
master of the ultimate.
Though he permit me success
in appearance for the moment,
how unreal I feel the power
he lends me against himself!
I know it:
the mine is not mine, it is his,
the eternal, his. Through it
he will come inevitably, I know it.
I shall see him face to face:
because already he is shedding,
already he is casting away,
heavens, joys, dissimulations,
times, words, the slight masks
under which I had hidden him
—irresistible light—
countenance of unavoidable eternity,
he, silence!

MAR DISTANTE

Si no es el mar, si es su imagen,
su estampa, vuelta, en el cielo.

Si no es el mar, si es su voz
delgada,
a través del ancho mundo,
en altavoz, por los aires.

Si no es el mar, si es su nombre
en un idioma sin labios,
sin pueblo,
sin más palabra que ésta:
mar.

Si no es el mar, si es su idea
de fuego, insondable, limpia;
y yo,
ardiendo, ahogándome en ella.

                              Fábula y signo

DISTANT SEA

This is not the sea, this is its image,
its impression, its reflection in the heavens.

This is not the sea, this is its tenuous
voice,
across the wide world,
in a loud speaker, through the air.

This is not the sea, this is its name
in a language without lips,
without nation,
without any words save this:
sea.

This is not the sea, this is its flaming
idea, unfathomable, limpid;
and I,
burning, extinguishing myself in it.

7

¡Ay!, cuántas cosas perdidas
que no se perdieron nunca.
Todas las guardabas tú.

Menudos granos de tiempo,
que un día se llevó el aire.
Alfabetos de la espuma,
que un día se llevó el mar.
Yo por perdidos los daba.

Y por perdidas las nubes
que yo quise sujetar
en el cielo
clavándolas con miradas.
Y las alegrías altas
del querer, y las angustias
de estar aún queriendo poco,
y las ansias
de querer, quererte, más.
Todo por perdido, todo
en el haber sido antes,
en el no ser nunca, ya.

Y entonces viniste tú
de lo oscuro, iluminada
de joven paciencia honda,
ligera, sin que pesara
sobre tu cintura fina,
sobre tus hombros desnudos,
el pasado que traías
tú, tan joven, para mí.

How many lost things there were
that never were lost!
You were keeping them all.

The tiny sands of time
that one day the wind bore away.
The alphabets of foam
that one day the sea bore away.
I gave them up for lost.

I gave up for lost the clouds
that I wished to hold fast
in the sky
piercing them with my gaze.
And the high raptures
of loving, the deep pangs
of loving too little,
and the longings
to love, to love you more.
I held them all for lost, all,
all that had been before
and all that were never to be.

And then you came
out of the darkness, illumined
by young deep patience,
light as air, without feeling
on your delicate body,
on your bare shoulders, the weight
of the past that for me
you were bearing, you so young.

Cuando te miré a los besos
vírgenes que tú me diste,
los tiempos y las espumas,
las nubes y los amores
que perdí estaban salvados.
Si de mí se me escaparon,
no fué para ir a morirse
en la nada.
En ti seguían viviendo.
Lo que yo llamaba olvido
eras tú.

                    La voz a ti debida

When I looked at you, the first
kisses that you gave me,
the lost days and the sea-foam,
the clouds and the embraces, all
that I had lost were held safe.
If they had escaped from me,
it was not to die, to fade
into nothingness.
In you they kept living on.
That which I called oblivion
was you.

No en palacios de mármol,
no en meses, no, ni en cifras,
nunca pisando el suelo:
en leves mundos frágiles
hemos vivido juntos.
El tiempo se contaba
apenas por minutos:
un minuto era un siglo,
una vida, un amor.
Nos cobijaban techos,
menos que techos, nubes;
menos que nubes, cielos;
aun menos, aire, nada.
Atravesando mares
hechos de veinte lágrimas,
diez tuyas y diez mías,
llegábamos a cuentas
doradas de collar,
islas limpias, desiertas,
sin flores y sin carne;
albergue, tan menudo,
en vidrio, de un amor
que se bastaba él solo
para el querer más grande
y no pedía auxilio
a los barcos ni al tiempo.
Galerías emormes
abriendo
en los granos de arena,
descubrimos las minas
de llamas o de azares.

Not in palaces of marble,
not in time, no, nor in numbers,
never treading the soil of the earth,
but in fragile, delicate worlds
have we lived together.
Time was scarcely
counted by minutes:
a minute was a century,
a life, a love.
We were sheltered by ceilings,
that were less ceilings than clouds;
that were less clouds than heavens;
even less, they were air, nothing.
Traversing seas
made of tears, twenty tears,
ten of yours and ten of mine,
we came to the guilded
beads of a necklace
of empty, desert islands,
without flowers, without life;
harbor, so small, so tiny,
made of crystal, for a love
which was enough all alone
for the greatest of all loves
and asked no help of any,
neither of ships nor of time.
Galleries unending
opening
in a tiny grain of sand,
unearthing treasures of flames
or of unforeseen happiness.

Y todo
colgando de aquel hilo
que sostenía, ¿quién?
Por eso nuestra vida
no parece vivida:
desliz, resbaladora,
ni estelas ni pisadas
dejó detrás. Si quieres
recordarla, no mires
donde se buscan siempre
las huellas y el recuerdo.
No te mires al alma,
a la sombra, a los labios.
Mírate bien la palma
de la mano, vacía.

La voz a ti debida

And all
hanging by that slender thread
which was supported, by whom?
And because of that our life
does not seem real, substantial:
elusive, it slips by,
leaving no wake, no trail
behind. If you wish
to remember it, do not look
where you always seek
for traces and mementos
Do not look into your soul,
or at shadows, or at lips.
But gaze intently into
the empty palm of your hand.

¿Las oyes cómo piden realidades,
ellas, desmelenadas, fieras,
ellas, las sombras que los dos forjamos
en este inmenso lecho de distancias?
Cansados ya de infinitud, de tiempo
sin medida, de anónimo, heridas
por una gran nostalgia de materia,
piden límites, días, nombres.
No pueden
vivir así ya más: están al borde
del morir de las sombras, que es la nada.
Acude, ven conmigo.
Tiende tus manos, tiéndeles tu cuerpo.
Los dos les buscaremos
un color, una fecha, un pecho, un sol.
Que descansen en ti, sé tú su carne.
Se calmará su enorme ansia errante,
mientras las estrechamos
ávidamente entre los cuerpos nuestros
donde encuentren su pasto y su reposo.
Se dormirán al fin en nuestro sueño
abrazado, abrazadas. Y así luego,
al separarnos, al nutrirnos sólo
de sombras, entre lejos
ellas
tendrán recuerdos ya, tendrán pasado
de carne y hueso:
el tiempo que vivieron en nosotros.
Y su afanoso sueño
de sombras, otra vez, será el retorno
a esta corporeidad mortal y rosa
donde el amor inventa su infinito.

                    La voz a ti debida

Do you not hear how they ask for reality,
these, the dishevelled ones, these, the untamed ones,
the shadows we invent, you and I,
on this immense plain of distances?
Weary now of the infinite, weary
of time without measure, of namelessness,
and sick with longing for the material,
they ask for boundaries, days and names.
No longer
can they live like this, they are on the border
of the death of shadows, which is nothingness.
Come with me to the rescue.
Stretch out your hands to them, offer your body.
Together we shall seek for them
a color, a time, a breast, a sun.
Let them find their rest in you, be you their flesh.
Their great desire for roving shall grow calm,
while we clasp them
eagerly to our breast,
where they may find their pasture and repose.
They shall fall asleep at last folded close
in our dream, embracing. And thus afterwards,
when we shall part, to be nourished only
on shadows, from afar,
they
shall have their memories, shall have a past
of flesh and blood,
the time when they lived in us.
And their eager, wistful dream
of shadows, once more, shall be the return
to this mortal existence of roseate flesh
where love invents its infinity.

Pensar en ti esta noche
no era pensarte con mi pensamiento,
yo solo, desde mí. Te iba pensando
conmigo extensamente, el ancho mundo.

El gran sueño del campo, las estrellas,
callado el mar, las hierbas invisibles,
sólo presentes en perfumes secos,
todo,
de Aldebarán al grillo, te pensaba.

¡Qué sosegadamente
se hacía la concordia
entre las piedras, los luceros,
el agua muda, la arboleda trémula,
todo lo inanimado,
y el alma mía
dedicándolo a ti! Todo acudía
dócil a mi llamada, a tu servicio,
ascendido a intención y a fuerza amante.
Concurrían las luces y las sombras
a la luz de quererte; concurrían
el gran silencio, por la tierra, plano,
suaves voces de nube, por el cielo,
al cántico hacia ti que en mí cantaba.
Una conformidad de mundo y ser,
de afán y tiempo, inverosímil tregua,
se entraba en mí, como la dicha entra
cuando llega sin prisa, beso a beso.
Y casi

To think of you to-night
was not to think of you, I all alone
with my thoughts. For with me, far and near,
the whole wide world was thinking of you.

The deep-dreaming fields, the stars,
the silent sea, the invisible grass,
present only in its bitter perfume,
all were thinking of you,
from great Aldebaran to the tiniest insect.

How quietly
was preparing the harmony
between the stones, the stars,
the mute water and the trembling aspen grove,
all inanimate things,
and my soul
dedicating them to you! All were responding
docilely to my call, promoted to serving you
with discretion and loving loyalty;
the lights and shadows were contributing
to the light of my love, the unruffled silence
of the earth, and the gentle voices of cloud
in the heavens, all were contributing
to the canticle singing for you in my heart.
An agreement of world and being,
of time and desire, improbable truce,
was entering into me, as happiness enters
when, without urgency, a kiss attains to a kiss.
And almost

dejé de amarte por amarte más,
en más que en mí, inmensamente confiando
ese empleo de amar a la gran noche
errante por el tiempo y ya cargada
de misión, misionera
de un amor vuelto estrellas, calma, mundo,
salvado ya del miedo
al cadáver que queda si se olvida.

                              Razón de amor

I left off loving you for loving you more,
trusting in more than myself, greatly confiding
that employment of loving to the vast night
wandering through time and now charged
with a mission, the emissary
of a love changed to stars, to quiet, to the world,
saved now from the fear
of the corpse which remains if we forget.

Si la voz se sintiera con los ojos
¡ay, cómo te vería!
Tu voz tiene una luz que me ilumina:
luz del oír.
Al hablar
se encienden los espacios del sonido,
se le quiebra al silencio
la gran oscuridad que es. Tu palabra
tiene visos de albor, de aurora joven,
cada día, al venir a mí de nuevo.
Cuando afirmas,
un gozo cenital, un mediodía,
impera, ya sin arte de los ojos.
Noche no hay si me hablas por la noche.
Ni soledad, aquí solo en mi cuarto
si tu voz llega, tan sin cuerpo, leve.
Porque tu voz crea su cuerpo. Nacen
en el vacío espacio, innumerables,
las formas delicadas y posibles
del cuerpo de tu voz. Casi se engañan
los labios y los brazos que te buscan.
Y almas de labios, almas de los brazos,
buscan alrededor las, por tu voz
hechas nacer, divinas criaturas,
invento de tu hablar.
Y a la luz del oír, en ese ámbito
que los ojos no ven, todo radiante,
se besan por nosotros
los dos enamorados que no tienen
más día ni más noche
que tu voz estrellada, o que tu sol.

Razón de amor

If the voice were perceived with the eyes,
ah, how I should see you!
Your voice has a light that illumines me,
light of the hearing.
When you speak
space is aglow with the sound,
the great darkness which is silence
is broken. Your word
has gleams of dawn, of young aurora,
each day, as it comes to me afresh.
When you say yes,
a zenith of joy, a full midday
reigns, without the art of the eyes.
There is no night if you speak to me in the night;
neither solitude, here alone in my room,
if your voice reaches me, lightly thus, without body.
For your voice creates its body. There are born
in empty space innumerable
delicate and possible forms
of the body of your voice. Almost are deceived
the lips and the arms that seek you.
And phantom lips, and phantom arms
search round them, for your voice
brings to birth divine beings,
invention of your speech.
And in the light of hearing, in those confines
that the eyes do not see, all radiant,
they kiss for us,
the two lovers that have no more
day and no more night
than your starry voice, or your sun.

8

Nadadora de noche, nadadora
entre olas y tinieblas.
Brazos blancos hundiéndose, naciendo,
con un ritmo
regido por designios ignorados,
avanzas
contra la doble resistencia sorda
de oscuridad y mar, de mundo oscuro.
Al naufragar el día,
tú, pasajera
de travesías por abril y mayo,
te quisiste salvar, te estás salvando,
de la resignación, no de la muerte.
Se te rompen las olas, desbravadas,
hecho su asombro espuma,
arrepentidas ya de su milicia,
cuando tú las ofreces, como un pacto,
tu fuerte pecho virgen.
Se te rompen
las densas ondas anchas de la noche
contra ese afán de claridad que buscas,
brazada por brazada, y que levanta
un espumar altísimo en el cielo;
espumas de luceros, sí, de estrellas,
que te salpica el rostro
con un tumulto de constelaciones,
de mundos. Desafía
mares de siglos, siglos de tinieblas,
tu inocencia desnuda.
Y el rítmico ejercicio de tu cuerpo
soporta, empuja, salva
mucho más que tu carne. Así tu triunfo
tu fin será, y al cabo, traspasadas
el mar, la noche, las conformidades,
del otro lado ya del mundo negro,
en la playa del día que alborea,
morirás en la aurora que ganaste.

Razón de amor

Swimmer of night, swimmer between
waves and shadows.
White arms submerging and rising
with a rhythm
governed by unknown designs,
you advance 'gainst
the double, silent resistance
of darkness and sea, world of gloom.
At the shipwreck of day,
you, voyager
crossing through April and May,
wished to save, are saving yourself,
not from death, from resignation.
The waves break over you, their fierceness gone,
their war repented of,
their wonder turned to foam,
when you offer them, as a pact,
your strong, virgin breast.
The broad, dense billows of the night
break against
that desire for light that you seek,
by uplifting arms, that raises
in the heavens a great foaming;
a foam of lights, yes, of stars,
which sprinkle your face
with a riot of constellations,
of worlds. By your bare
innocence, seas of centuries defied,
centuries of shadows.
Your rhythmic bodily motion
supports, impels and saves
much more than your flesh. Thus your triumph
will be your end, and at last, sea,
night and conventions passed over,
on the far side of the black world,
on the shore of the day which breaks,
you will die in the dawn you have won.

Tan convencido estoy
de tu gran traspresencia en lo que vivo,
de que la luz, la lluvia, el cielo son
formas en que te esquivas,
vaga interposición entre tú y tú,
que no estoy nunca solo
mientras la luz del día me parece tu alma,
o cuando al encenderse las estrellas
me van diciendo cosas que tú piensas.
Esa gota de lluvia
que cae sobre el papel
es, no mancha morada, florida del azar,
sino vaga y difusa violeta
que tú me envías del abril que vives.

Y cuando los contactos de la noche,
masa de oscuridad, sólida masa,
viento, rumores, llegan y me tocan
me quedo inmensamente
asombrado de ver
que el brazo que te tiendo no te estrecha,
de que aun te obstines
en no mostrarte entera
tan cerca como estás, detrás de todo.
Y tengo que creer,
aunque palpitas en lo más cercano,
—sólo porque tu cuerpo no se ve—
en la vaga ficción de estar yo solo.

                                        Razón de amor

I am so sure that your presence
shines through all that makes up my life,
sure that the light, rain and sky
are forms in which you escape from yourself,
a vague something between yourself and yourself,
that I am never alone
while the day seems to me your spirit,
or when the stars being kindled,
speak to me of your thoughts.
This tiny drop of rain
which falls on my paper
is no chance purple spot of flowery vegetation,
but the delicate scattered violet
that you send me from the April you are living.

And when the contacts of the night,
mass of darkness, solid mass,
wind, sounds reach me and touch me,
with boundless amazement
I see that the arm
I stretch out to you does not embrace you,
and that you persist in
withholding the all of yourself,
thus near to me though you are, back of all.
And only because your body is not seen,
though you pulsate in that which is nearest me,
I am forced to believe
the vague fiction of being alone.

Di, ¿te acuerdas de los sueños,
de cuando estaban allí,
delante?
¡Qué lejos, al parecer,
de los ojos!
Parecían nubes altas,
fantasmas sin asideros,
horizontes sin llegada.
Ahora míralos, conmigo,
están detrás de nosotros.
Si eran nubes,
vamos por nubes más altas.
Si eran horizontes, lejos,
ahora, para verlos
hay que volver la cabeza
porque los hemos pasado.
Si eran fantasmas,
siente
en las palmas de tus manos,
en los labios,
la cálida huella aun
del abrazo
en que dejaron de serlo.
Estamos al otro lado
de los sueños que soñamos,
a ese lado que se llama
la vida que se cumplió.
Y ahora,
de tanto haber realizado
nuestro soñar,
nuestro sueño está en dos cuerpos.

Tell me, do you remember
the dreams when they were there
before us?
How far away they seemed
from the eyes!
They resembled high clouds,
floating phantoms,
ever receding horizons.
Now gaze on them with me,
they are behind us.
If they were clouds,
then we move through clouds still higher.
If they were remote horizons,
to see them now
we must turn our heads
for we are far beyond them.
If they were mere phantoms,
feel still
in the palms of your hands,
on your lips
the warm trace
of caresses
when they ceased to be phantoms.
We are on the other side
of the dreams that we dreamed,
on that side which is called
life accomplished.
And now
for having so realized
our dreaming,
our dream takes form in two beings.

Y *no hay que mirar los dos,*
sin vernos el uno al otro,
a lo lejos, a las nubes,
para encontrar otros nuevos
que nos empujen la vida.
Mirándonos cara a cara,
viéndonos en lo que hicimos
brota
desde las dichas cumplidas
ayer, la dicha futura
llamándonos. Y otra vez
la vida se siente un sueño
trémulo, recién nacido.

Razón de amor

And we two need only gaze
in the distance, at the clouds,
without seeing each other,
to find other new ones
that urge fresh life upon us.
Gazing at us, face to face,
seeing us in that which we did,
there springs up,
from joys already fulfilled,
the happiness of the future
calling to us. And once again
life is a tremulous dream,
but lately come into being.

VERDAD DE DOS

Como él vivió de día, sólo un día,
no pudo ver más que la luz.
Se figuraba
que todo era de luz, de sol, de júbilo
seguro, que los pájaros
no pararían nunca de volar y que los síes
que las bocas decían
no tenían revés. La inexorable
declinación del sol hacia su muerte,
el alargarse de las sombras,
juego le parecieron inocente,
nunca presagio, triunfo lento, de lo oscuro.
Y aquel espacio de existir
medido por la luz,
del alba hasta el crepúsculo,
lo tomó por la vida.
Su sonrisa final le dijo al mundo
su confianza en que la vida era
la luz, el día,
la claridad en que existió.
Nunca vió las estrellas, ignorante
de aquellos corazones, tan sin número,
bajo el gran cielo azul que tiembla de ellos.

Ella, sí.
Nació al advenimiento de la noche,
de la primer tiniebla clara hija,
y en la noche vivió.
No sufrió los colores

TRUTH OF TWO

As he lived in the daytime and only one day,
he could see naught but the light.
He imagined
that all was sure of the light, of the sun
and of joy, that the birds
would never cease to fly and the yeses
that lips were murmuring
could know no reverse. The relentless
sinking of the sun to its death,
the lengthening of shadows,
seemed but innocent play to him,
never portent, slow triumph of the dark.
And that space of existence
measured by the light,
between daybreak and twilight,
he took for life.
His very last smile spoke to the world
of his faith that this life was
all light, all day,
and the radiance in which he existed.
He never saw the stars, ignorant
of those hearts, without number,
beneath the great blue heavens that quiver with them.

She, yes.
She was born at the coming of night,
true daughter of the first shadow,
and in the night she lived.
She did not suffer the pain of color

ni el implacable frío de la luz.
Abrigada
en una vasta oscuridad caliente,
su alma no supo nunca
que era lo oscuro, por vivir en ello.
Virgen murió de concebir las formas
exactas, las distancias, esas desigualdades
entre rectas y curvas, sangre y nieve,
tan imposibles, por fortuna, en esa
absoluta justicia de la noche.
Y ella vió las estrellas que él no vió.

Por eso
tú y yo, compadecidos
de sus felicidades solitarias,
los hemos levantado
de su descanso y su vivir a medias.
Y viven en nosotros, ahora, heridos ya,
él por la sombra y ella por la luz;
y conocen la sangre y las angustias
que el alba abre en la noche y el crepúsculo
en el pecho del día, y el dolor
de no tener la luz que no se tiene
y el gozo de esperar la que vendrá.
Tú, la engañada
de claridad y yo de oscuridades,
cuando andábamos solos,
nos hemos entregado, al entregarnos
error y error, la trágica verdad
llamada mundo, tierra, amor, destino.
Y su rostro fatal se ve del todo
por lo que yo te he dado y tú me diste

nor the unyielding coldness of the light.
Sheltered
in a vast darkness, all warmth,
her soul never knew
that it was the dark, for very living in it.
She died innocent of the knowledge of exact forms
and distances, and those inequalities
between straight lines and curves, blood and snow,
so impossible, fortunately, in that
utter justice of the night.
And she saw the stars that he did not see.

That is why
with one accord, you and I,
from their solitary felicities
have raised them up,
from their repose and living by halves.
And now they live in us, wounded indeed,
he by the shadow and she by the light;
and they know the blood and anguish
that dawn opens in the night, and twilight
in the breast of the day, and the sorrow
of having the light which does not linger,
and the joy of waiting for the light which shall come.
You, the one deceived
by the light and I by the darkness,
while we were walking alone,
have given each other now by our mutual exchange
of error and error, the tragic truth
called experience, earth, love, destiny.
And the fatal face of it all is seen
by that which I gave you and you gave me.

Al nacer nuestro amor se nos nació
su otro lado terrible, necesario,
la luz, la oscuridad.
Vamos hacia él los dos. Nunca más solos.
Mundo, verdad de dos, fruto de dos,
verdad paradisíaca, agraz manzana,
sólo ganada en su sabor total
cuando terminan las virginidades
del día solo y de las noche sola.
Cuando arrojados
en el pecado que es vivir
enamorados de vivir, amándose,
hay que luchar la lucha que les cumple
a los que pierden paraísos claros
o tenebrosos paraísos,
para hallar otro edén donde se cruzan
luces y sombras juntos y la boca
al encontrar el beso encuentra al fin
esa terrible redondez del mundo.

                              Razón de amor

At the birth of our love there was born for us
its other side, terrible, necessary,
the light and the darkness.
We walk towards it, both of us, never again alone.
Experience, truth of two, fruit of two,
knowledge from the Garden of Eden, bitter apple,
gained only in its total flavor
when ends the virginity
of the day alone and the night alone.
When cast on the rocks
of sin which is living, loving each other,
we must fight the fight which it behooves them
to fight who lose a paradise of light,
or a paradise of darkness,
to find another Eden, where lights
and shadows cross, and where lips
which meet to kiss shall in the end discover
that terrible roundness of the world.

Jorge Guillén

↓   ↓   ↓

JORGE GUILLÉN was born in Valladolid in 1893. He studied Philosophy and Letters in Madrid and Granada, and from 1917 was Lecturer in Spanish at the Sorbonne. After receiving the degree of Doctor of Letters in 1925, he obtained the chair of Spanish Literature in the University of Murcia and was professor there until 1929. From 1929 to 1931 he was Lecturer in Spanish at the University of Oxford, and for several seasons he was Professor of Spanish Literature at the International Summer School of Santander.

In 1938 he came to America as Visiting Professor at Middlebury College, Vermont, and he held a chair at McGill University, Montreal, for one year. Since then he has been living in the United States as Professor of Spanish Literature at Wellesley College and in the Summer School of Languages at Middlebury College.

His poems have been translated into English, French and Italian.

Aubrey Bell, the English authority on Spanish literature, mentions Jorge Guillén among four "distinguished Castilian poets of the present day" in whom "substance and passion are controlled by sureness of taste and severity of line in a kind of molten granite." He says again: "In its radiance, swiftness and continual 'becoming' the poetry of Jorge Guillén takes us back to the poetry of two great Castilian poets of the sixteenth century, Luis de Leon and San Juan de la Cruz, both poets of an intense rapidity, full of the emotion of tremulous movement . . . He is essentially Castilian in his resolute search for unity beneath the multiplicity of things . . . It is of absorbing interest to watch the spirit of Castile in this poet gathering up the new poetry in eternal moments of concrete mystery, spiritual realism, and pregnant unity, in which soul and body are fused in true Castilian fashion."

Pedro Salinas compares him to Walt Whitman, not in his form, but in his attitude towards life. He says: "The theme of this poetry is exaltation and joy in the beauty of the world and being . . . Life is beautiful because it is life . . . The simplicity of this attitude in the complexity of the modern world seems a discovery . . . Facing the world, scorned and accursed by so many poets, he gives us the affirmation of its complete beauty."

Angel Valbuena Prat writes of the poetry of Guillén: "If by intuition we succeed in capturing the beauty of the poetry, an immense world of beauty and life will dazzle our eyes . . . In each poem there is a cosmic creation; the theme gives a new and special value to everything . . . The work of Guillén is the classical jewel of the new Spanish poetry."

Books of poetry published: *Cántico*, Madrid, 1928, first edition; *Cántico* (*Al aire de tu vuelo—Las horas situadas—El pájaro en la mano—Aquí mismo—Pleno ser*), Madrid, 1936; *Cántico—Fe de Vida*, Mexico, 1945.

LOS NOMBRES

Albor. El horizonte
Entreabre sus pestañas,
Y empieza a ver. ¿Qué? Nombres.
Están sobre la pátina

De las cosas. La rosa
Se llama todavía
Hoy rosa, y la memoria
De su tránsito, prisa,

Prisa de vivir más.
¡A largo amor nos alce
Esa pujanza agraz
Del Instante, tan ágil

Que en llegando a su meta
Corre a imponer Después!
¡Alerta, alerta, alerta,
Yo seré, yo seré!

¿Y las rosas? Pestañas
Cerradas: horizonte
Final. ¿Acaso nada?
Pero quedan los nombres.

All poems from *Cántico*.

NAMES

It is dawn. The horizon
Peeps between its eyelashes,
And begins to see. What?
Names written on the surface,

The patina of things.
The rose is still called rose
To-day, and the memory
Of its passing is haste.

Haste to be living more.
To abundant love we are
Raised by that unripe power
Of the Moment, so nimble

That on reaching its goal
It hastes to impose the Aftermath.
Be alert, on your guard!
I shall be, I shall be!

And the roses? Eyelashes
Fast closed: final horizon.
If perchance there is nothing?
But the names still remain.

ADVENIMIENTO

¡Oh luna! ¡Cuánto abril!
¡Qué vasto y dulce el aire!
Todo lo que perdí
Volverá con las aves.

Sí, con las avecillas
Que en coro de alborada
Pían y pían, pían
Sin designo de gracia.

La luna está muy cerca,
Quieta en el aire nuestro.
El que yo fuí me espera
Bajo mis pensamientos.

Cantará el ruiseñor
En la cima del ansia.
¡Arrebol, arrebol
Entre el cielo y las auras!

¿Y se perdió aquel tiempo
Que yo perdí? La mano
Dispone, dios ligero,
De esta luna sin año.

ADVENT

Moon of the April night,
How ample and sweet the air!
All will come back to me,
All I have lost with the birds.

Yes, with the morning birds
Chirping in chorus at dawn,
Twittering, warbling and singing,
Bringing unconscious blessing.

The moon is now very near us,
Quiet and calm in our presence.
That which I was awaits me,
Buried beneath my thoughts.

The nightingale shall sing
On the very tip of desire.
Flush of dawn, flush of dawn
Midst gentle breezes of heaven!

And was it gone, the time
I lost? The turning hand,
A nimble god, disposes
Of this moon so ageless.

ELEVACIÓN DE LA CLARIDAD

Muelles desniveles . . .
¿Su varia ocurrencia
Se equilibra a fuerza
De tiempo inocente?

Hierbas, juncos, aguas.
Cede el equilibrio
Bajo el pie. Crujidos
Velados de trampa.

Pero no. Los troncos
Elevan a sed
De luz la avidez
En sombra del soto.

Entre los follajes,
Diminutos cielos
Suman un ileso
Término sin partes.

Y se centra el vasto
Deseo en un punto.
¡Oh cenit: lo uno,
Lo claro, lo intacto!

ELEVATION OF LIGHT

Delicate differences . . .
Will their various levels
Smooth out with the passing
Of innocent time?

Grasses, rushes, waters.
Underfoot the balance
Diminishes. Hidden
Flaws, snares and pitfalls.

But no. Tall tree trunks
Uplift aspiration
To thirst for the light
In shadowy groves.

Between leafy branches
Diminutive heavens
Unite in an unscathed
Boundary, undivided.

And the vast desire
On one point is centered,
The utmost: the zenith,
One, clear and intact!

CIMA DE LA DELICIA

¡Cima de la delicia!
Todo, en el aire es pájaro.
Se cierne lo inmediato
Resuelto en lejanía.

¡Hueste de esbeltas fuerzas!
¡Qué alacridad de mozo
En el espacio airoso,
Henchido de presencia!

El mundo tiene cándida
Profundidad de espejo:
Las más claras distancias
Sueñan lo verdadero.

¡Dulzura de los años
Irreparables! ¡Bodas
Tardías con la historia
Que desamé a diario!

¡Más, todavía más!
Hacia el sol en volandas,
La plenitud se escapa.
¡Ya sólo sé cantar!

ECSTASY OF BLISS

Oh ecstasy of bliss!
All things are winged for flight.
That which is close soars upward
Dissolved into the distance.

What host of slender forces!
What youthful animation
Above in the airy space,
With reality filled!

Like a mirror, the world
Gives back guileless reflections:
The most limpid distances
Dream of the true, the real.

Oh the sweetness of years
Irretrievable! Nuptials
Too late, with the life that
I liked not day by day!

More, more and yet more!
Towards the sun, in swift flight,
The fulness makes its escape.
Now I am only song!

PRIMAVERA DELGADA

Cuando el espacio sin perfil resume
    Con una nube

Su vasta indecisión a la deriva,
    —¿Dónde la orilla?—

Mientras el río con el rumbo en curva
    Se perpetúa

Buscando sesgo a sesgo, dibujante,
    Su desenlace,

Mientras el agua, duramente verde
    Niega sus peces

Bajo el profundo equívoco reflejo
    De un aire trémulo . . .

Cuando conduce la mañana, lentas,
    Sus alamedas

Gracias a las estelas vibradoras
    Entre las frondas,

A favor del avance sinuoso
    Que pone en coro

La ondulación suavísima del cielo
    Sobre su viento

Con el curso tan ágil de las pompas,
    Que agudas bogan . . .

¡Primavera delgada entre los remos
    De los barqueros!

SLENDER SPRING

When infinite space, without outline, sums
    Up in a cloud

Its vast indecision, so lightly drifting,
    Where is its shore?

While the river upon its winding way
    Continues flowing,

Seeking slantwise, crosswise, most cunning draughtsman,
    Its own solution,

While the water, tinged a harsh, vivid green,
    Conceals its fishes

Under the deep and uncertain reflection
    Of a vibrant air . . .

When the morning gently leads its avenues
    Of tall, slim poplars,

Thanks to the shimmering, quivering wake
    Between their leafage,

With the aid of the sinuous progression
    Which harmonizes

The gentle undulation of the sky
    Above the wind

With the swiftly moving pace of the splendors
    That briskly sail . . .

Then spring, slender spring comes between the oars
    Of the rowers!

EL CISNE

El cisne, puro entre el aire y la onda,
  Tenor de la blancura,
Zambulle el pico difícil y sonda
  La armonía insegura.

¡Gárrulas aguas! ¡Inútil pesquisa
  De músico relieve!
Picos sin presas recoge la brisa
  Que va tras lo más leve.

Quiere después con la voz el Esbelto
  Desarrollar su curva.
¡Ay, discordante aprendiz, se ha resuelto
  La soledad en turba!

Pero . . . ¡Callados los blancos! Se extrema
  Su acorde: su fanal.
Todo el plumaje dibuja un sistema
  De silencio fatal.

Y el cisne, fiel, a través de una calma
  De curso trasparente
Contempla, muda y remota, su alma:
  Deidad de la corriente.

THE SWAN

The pure swan floating between air and wave,
    A sweet tenor of whiteness,
Plunges his fastidious and probing bill
    Into the shifting harmony.

He seeks in vain in the chattering waters
    For a musical ornament,
But the breeze that lifts only lightest trifles,
    Gathers bills without booty.

Then the Graceful One wishes with his voice
    To develop his curve.
Alas, discordant beginner, the solitude
    Has melted to a crowd!

But when hushed are the white ones, like a crystal
    Covering is the harmony.
All the plumage portrays a pattern of
    Unavoidable silence.

And the swan, ever faithful, calmly drifting
    On the transparent water,
Contemplates his soul, far distant and dumb,
    Deity of the current.

EL DISTRAÍDO

¡Qué bien llueve por el río!
                        Llueve poco y llueve
Tan tiernamente
Que a veces
Vaga en torno de un hombre la paciencia del musgo.

A través de lo húmedo
Punzan, huyen amagos
De presagios.
Amable todavía por los últimos
Términos arbolados,
Un humo va dibujando
Yedras.
¿Para quién de esta soledad? ¿Para el más vacante?
Alguien,
Alguien espera.
Y yo voy —¿quién será?— por el río, por un río
Recien llovido.

¿Por qué me miran tanto
Los álamos,
Si apenas los ve mi costumbre?
En su silencio el abandono alarga la rama
Deshabitada.
Pero flora cortés aun emerge sobre un agua
De octubre.

STRAYING

See how it rains on the river!
                              Gently it rains, and
Rains so tenderly
That at times
There lingers about a man the patience of the moss.

Through the moisture there flit
And prick hints and suggestions
Of omens.
With kindly intentions still, through
The very last woodland boundaries,
A vapor is sketching
Ivy.
For whom is this solitude? For the most leisurely?
Someone,
Someone is waiting.
And I flow—who may it be?—with the river, a river
Lately freshened by rain.

Why do the poplars so
Gaze at me,
If my custom is scarcely to see them?
Into the silence the loneliness stretches
A leafless bough.
But a gracious flora still emerges from the water
Of October.

Yo por el verde liso
Voy,
Voy buscando a los dos
Aquí perdidos:
Al pescador atento que, muy joven,
De bruces
En la ribera, nubes
Recoge
De la corriente, distraídas,
Y al músico pródigo que, sin mucha pericia,
Por entre las orillas
Va cantando y dejando las palabras en sílabas
Desnudas y continuas,
La ra ri ra,
           ta ra ri ra,
                     la ra ri ra . . .
¡Entre dientes y labios
He de tener al tiempo!

Sin mirar contemplando,
Aquí no, más allá de la mirada
Sí veo.

¡Yo sé de un río en que por la mañana
Flotan, se cruzan
Curvas
De márgenes!
Errantes

And through the smooth green
I go.
I go seeking for the two
Who here are lost:
For the intent young fisherman, who,
Face downwards
On the stream's edge, gathers
Straying clouds
From the flowing current,
And for the musical prodigal who, without much skill,
Along the river bank
Goes singing and flinging away words in bare
Continuous syllables,
Tra la la la
        tra la la la
                tra la la la . . .
Between the teeth and the lips
I must keep to the time!

Without looking, gazing,
Not here, but beyond the reach of vision
I gaze.

I know of a river on which in the morning
Float, intercross
Curving
Margins!
Where wanders

A punto de no ser, ¿adónde
Van las yedras, hacia qué torres
De nadie?

A través de lo húmedo
Se abren
Túneles con anhelo de extramuros:
Hacia puentes amantes,
Hacia caminos bajo algún follaje,
Hacia refugios
De lejanía en valles.

¡Embeleso tarareado!
¡Cómo sueña la voz que se tumba en el canto
Perdido,
Tan perdido y fluido hacia ensanches de días
Sin lindes, resbalados!
Lararira,
        lararira,
                lararira . . .

El curso del río
Conduce.
Las nubes,
Desmoronándose tranquilas,
Guardan su lentitud, no se detienen,
Y me acercan los cielos
En una sucesión sin pesadumbre
De eterno firmamento.

The ivy at the point of non-existence,
Perhaps winding about the towers
Of no one?

Through the moisture
Open
Alleys eager to lead away from the town
Towards loving bridges,
Towards pathways underneath leafy branches,
And towards shelters
Of remoteness in valleys.

What rapturous carolling!
How the voice sounds that tumbles into
The lost song,
So lost and flowing towards stretches of limitless days,
Gliding leisurely by!
Tralalala,
          tralalala,
                    tralalala . . .

The course of the river
Is guiding.
The clouds,
Tranquilly crumbling,
Keep their slow motion, they do not linger,
And they draw the sky near to me
In a lightly passing procession
Of eternal firmament.

¡Cortas, urgentes
Verticales de lluvia, haz de apuntes!
Llueve y no hay malicia,
Llueve.
Lararira . . .

Oigo
Caer las gotas
—Que se derraman, sin fuerza de globos,
Sobre las últimas hojas
Crujidoras,
Aún pendientes del otoño.

En tanto, sucediéndose visibles las burbujas,
El río reúne y ofrece un arrullo
Continuo, seguro.
¿Nadie escucha?
Para mí, para mí todo el amor del musgo.

¡Ventura:
Alma tarareada goza de río suyo!

Short pattering,
Vertical lines of rain, bundle of sketches!
It rains and there is no malice,
It rains.
Tralalala . . .

I hear
The falling drops
That scatter, without virtue of globules, *lighter than bubbles*
Over the last rustling leaves
Of autumn,
Pendulous and left hanging.

While following one after one the visible bubbles,
The river gathers and offers a constant,
· Unfailing lullaby.
Does no one listen?
It is for me, for me all the love of the moss.

What good fortune!
The carolling soul is enjoying his own river!

EL RUISEÑOR

Por Don Luis de Góngora

El ruiseñor, pavo real
Facilísimo del pío,
Envía su memorial
Sobre la curva del río,.
Lejos, muy lejos, a un día
Parado en su mediodía,
Donde un ave carmesí,
Cenit de una primavera
Redonda, perfecta esfera,
No responde nunca: sí

PERFECCIÓN

Queda curvo el firmamento,
Compacto azul, sobre el día.
Es el redondeamiento
Del esplendor: mediodía.
Todo es cúpula. Reposa,
Central sin querer, la rosa,
A un sol en cenit sujeta.
Y tanto se da el presente
Que el pie caminante siente
La integridad del planeta.

THE NIGHTINGALE

The nightingale, fluent songster,
A very peacock of trilling,
Is sending forth his petition
Over the bend of the river,
Far, far away, to a day
Held suspended at noontide,
Where a bird of glowing crimson,
Zenith of a perfect spring,
The completely rounded sphere,
Never, never answers: yes.

PERFECTION

The firmament, a dense blue,
Is overarching the day.
'Tis the rounding out of splendor,
Midday. All is curving dome.
At the centre lies, unwilling,
The rose, subject to a sun
At its zenith. And the present
So yields itself up that the
Foot that is moving now feels
The completeness of the planet.

LA PALABRA NECESARIA

He visto en los jardines tales Junios sin hombres
Que mi voz necesita decir, entre los nombres
Celestes de la flora,
Alguno que al sonar me restituya
La aurora
Violenta,
Cuando irrumpe con ramos y hace suya
La luz que más inventa.
Pido un nombre de flor que en la memoria anime
Total y sin nadie el jardín de Junio sublime.

ALGUIEN LLEGA A ENTREVER UN PARAÍSO

Una peña silvestre coronada de ardillas
Sonríe de improviso al caminante.
—¿Más todavía?

Riberas. ¡Oh, privadas! Cinco menudas aves
Abandonan al césped su pechezuelo gris.
—¡Ay! ¿Será peligroso lo feliz?

Innumerables en el prado, las margaritas
Persisten agrupadas, ofrecidas.
—Ofrecidas . . . ¿A quién, a mi ventura?

—Nos amaremos todos.
            —¡Príncipe!
                —Ven, escucha.

THE NEEDED WORD

I have seen such Junes in gardens without people
That my voice needs must say, among the heavenly
Names of the flowers,
One that by its sound may restore to me
The fiery flush
Of daybreak,
When it branches out and makes its own
The light that discovers all.
I ask the name of a flower that may bring to life
          in the memory
The garden of sublime June, entire and without
          the help of any.

SOME ONE ATTAINS TO A GLIMPSE OF PARADISE

A moss-covered rock crowned with squirrels
Smiles suddenly at the wanderer.
—Is there more?

River banks. Oh, but private ones! Five tiny birds
Abandon their little grey breasts to the grass plot.
—Alas! Would such happiness be a danger?

In the meadow innumerable daisies
Are offering themselves in clusters.
—They are offered . . . To whom, to my happiness?

We shall all love one another.
                    —Oh prince!
                              —Come, listen!

LOS JARDINES

Tiempo en profundidad: está en jardines.
Mira cómo se posa. Ya se ahonda.
Ya es tuyo su interior. ¡Qué trasparencia
De muchas tardes, para siempre juntas!
Sí, tu niñez: ya fábula de fuentes.

GRAN SILENCIO

Gran silencio. Se extiende a la redonda
La infinitud de un absoluto raso.
Una sima sin fin horada el centro.
Y sin cesar girando cae, cae,
Ya invisible y zumbón, celeste Círculo.

AMPLITUD

Lejos, abajo, los pinares tienden
Masas de duración. Son los oscuros
Verdores que—ceñidos a la tierra,
Desde abajo extendiéndose—levantan
La quietud en tensión de los follajes,
Prietos. Y densamente duran, verdes
En su avidez de una amplitud de cima,
De una cima sin fin a la redonda,
Mientras cunde y se exalta por sus círculos
Aquel olor a espacio siempre inmenso.

GARDENS

Boundless, immeasurable time is in gardens.
See how it alights. It penetrates already,
And now its innermost soul is yours. What
Transparency of many noons, ever joined!
Yes, your childhood, now a legend of fountains.

UTTER SILENCE

Utter silence. All around there extends
The infinity of an absolute plain.
The centre, an abyss endlessly bored.
And turning, ever turning, invisible,
Faintly humming, falls the celestial Circle.

VASTNESS

(Castile)

Down there, in the distance, the pine groves stretch
Masses of enduring life. And the greens,
Of sombre hue—hemmed in by the earth, are
Extending themselves from below—they stir
The tension of quietness with their dark
Foliage. And the densely packed greens endure
In their craving for a vastness of summit,
A summit without end, girdling, surrounding,
While there grows and spreads upward through its circles
That aroma of ever endless space.

NOCHE ENCENDIDA

Tiempo: ¿prefieres la noche encendida?
¡Qué lentitud, soledad, en tu colmo!
Bien, radiador, ruiseñor del invierno.
¿La claridad de la lámpara es breve?
Cerré las puertas. El mundo me ciñe.

LA NIEVE

Lo blanco está sobre lo verde,
Y canta.
Nieve que es fina quiere
Ser alta.

Enero se alumbra con nieve: si verde,
Si blanca.
Que alumbre de día y de noche la nieve,
La nieve más clara.

¿Nieve ligera, copo blando?
¡Cuánto ardor en masa!
La nieve, la nieve en las manos
Y el alma.

Tan puro el ardor en lo blanco,
Tan puro, sin llama.
La nieve, la nieve hasta el canto
Se alza.

Enero se alumbra con nieve silvestre.
¡Cuánto ardor! Y canta.
¡La nieve hasta el canto—la nieve, la nieve—
En vuelo arrebata!

LIGHTED NIGHT

Time—do you prefer night when lights are kindled?
What leisure, oh solitude, at your height!
Good, radiator, you nightingale of winter.
The lamp does not throw its beams very far?
I pulled the doors close: the world hems me in.

SNOW

Over the green lies the white
And, sings.
Snow that is fine would like
To drift high.

January is alight with snow: or green,
Or white.
May it shed light by day and by night,
The snow most bright.

Delicate snowflake, feathery snow?
What fire the drifts hold!
The snow, the snow in the hands,
In the soul.

So pure is the fire in the white,
So pure, without flame.
The snow, the snow up to song
Would attain.

January is alight with the slyvan snow.
What fire! And it sings.
The snow reaches up to song—the snow, the snow—
For flight it is winged!

LA SALIDA

¡Salir por fin, salir
A glorias, a rocíos,
(Certera ya la espera,
Ya fatales los ímpetus)
Resbalar sobre el fresco
Dorado del estío
—¡Gracias!—hasta oponer
A las ondas el tino
Gozoso de los músculos
Súbitos del instinto,
Lanzar, lanzar sin miedo
Los lujos y los gritos
A través de la aurora
Central de un paraíso,
Ahogarse en plenitud
Y renacer clarísimo,
(¡Rachas de espacios vírgenes,
Acordes inauditos!)
Feliz, veloz, astral,
Ligero y sin amigo!

DEPARTURE

Oh, to go forth at last
To dew-wet dawns and glories—
Things hoped for now come true
And impulses unquestioned—
To stray amid the new-born
Golden freshness of summer,
Giving thanks, and to breast
The waves with joyful skill,
Loosing unforseen, sudden
Muscles of the instinct,
To give voice without fear
To a profusion of cries,
Flung athwart the central
Dawning of a paradise,
To be drowned in completeness,
And born again with brightness—
Fragments of virgin spaces
And strange, unheard harmonies—
Blissful, swift, like a star,
Light as air, without friend!

ARENA

Retumbos. La resaca
Se desgarra en crujidos
Pedregosos. Retumbos.
Un retroceso arisco
Se derrumba, se arrastra.
¡Molicie en quiebra, guijos
En pedrea, tesón
En contra! De improviso,
¡Alto!

     ¿Paz?

       Y una ola,
Pequeña, cae sin ruido
Sobre la arena, suave
De silencio. ¡Qué alivio,
Qué sosiego! ¡Silencio
De siempre, siempre antiguo!
Porque Dios, sin edad,
Tiene ante sí los siglos.
Sobre la arena duran
Calladamente limpios.
Retumbe el mar, no importa.
¡El silencio allí mismo!

SAND

Resounding booms. The surf
Draws back its grating stones.
Hollow, resounding booms.
With ruthless motion
It crashes and draws back.
All softness crushed, a hail
Of gravel, tenacity
Against sand! Then suddenly
Halt!

    Peace?

      A little wave
Breaks gently, without sound,
On the sand, smooth with silence.
What relief, tranquility!
Silence forever, ever
Silence from antiquity!
Because God, ageless one,
Has before Him the ages.
On the sand they will endure
Ever silently pure.
Let the sea boom, no matter.
There, even there is silence!

11

FESTIVIDAD

La acumulacion triunfal
En la mañana festiva
Hinche de celeste azul
La blancura de la brisa.
¡Florestas, giros, suspiros
En islas a la deriva!
Pies desnudos trazan vados
Entre todas las orillas
Que Junio fomenta verdes,
Liberales y garridas.
Y los aros de los niños
Fatalmente multiplican
Ondas de gracia sobrante,
Para dioses todavía.
¡Tanta claridad levantan
Las horas de arena fina!
Los enamorados buscan,
Buscan una maravilla.
¡Qué bien por el río bogan!
¡Al mar! Ya el mar los hechiza.
Pero los cielos difusos
Luces agudas enviscan.
Caballos corren, caballos
Perseguidos por las dichas.
¡Vientos esbeltos! Sus ángeles,
Que un frescor de costa guía,
Aman a muchachas blancas,
Blancas, ¡pleamar divina!

FESTIVITY

Accumulation triumphant,
On this morning of festivity,
Fills with a heavenly blue
The clear whiteness of the breeze.
Wooded delights, blissful sighs

On islands adrift in joy!
Between the long river banks
That June quickens to luxuriant
Green, bare feet pass and repass
Tracing a ford through the water.
And children rolling their hoops
With curving, sinuous motion
Give an added wave of grace,
Still more delight for the gods.
The hours spent on the fine sand
Stir up so much of splendor
That lovers roaming the beach
Seek eagerly for a marvel.
How good to row on the river!
To the sea! For now the sea
Enchants them. But the wide heavens
Incite brisk lights to the chase.
Horses run, galloping horses,
Horses pursued by happiness.
Slender angels of the winds
By freshness of seacoast guided,
Are making love to white maidens,
Fair maidens, divine high tide!

Pleamar también del mar
Corvo de animal delicia:
Obstinación de querencia,
Turnos de monotonía,
Pero en ápice de crisis
Que tiende choques en chispas
Al azul, aunque celeste,
Vivacísimo en la brisa.
¡Júbilo, júbilo, júbilo!
Y rinde todas sus cimas
—¡Fuerza de festividad!—
Todo el resplandor del día.

And high tide of the arched sea
With its animal delight,
Persistent homing instinct,
Monotonous alternation,
But that at the height of crisis
Flings upward sparks from the impacts
To the intense, vivid blue
That is heavenly in the breeze.
Jubilation, jubilation!
All the radiance of the day
Surrenders its utmost heights
In a wild riot of festivity.

ARDOR

Ardor. Cornetines suenan
Tercos, y en las sombras chispas
Estallan. Huele a un metal
Envolvente. Moles. Vibran
Extramuros despoblados
En torno a casas henchidas
De reclusión y de siesta.
En sí la luz se encarniza.
¿Para quién el sol? Se juntan
Los sueños de las avispas.
¿Quedará el ardor a solas
Con la tarde? Paz vacía:
Cielo abandonado al cielo,
Sin un testigo, sin línea.
Pero sobre un redondel
Cae de repente y se fija,
Redonda, compacta, muda,
La expectación. Ni respira.
¡Qué despejado lo azul,
Qué gravitación tranquila!
Y en el silencio se cierne
La unanimidad del día,
Que ante el toro estupefacto
Se reconcentra amarilla.
¡Ardor: reconcentración
De espíritus en sus dichas!
Bajo Agosto van los seres
Profundizándose en minas.

ARDOR

Fervid heat. Cornets sound harshly,
And in the deep shadows sparks
Burst forth. An odor of all-
Enveloping metal. Masses.
Empty suburbs are vibrating
Round houses filled over-full
Of seclusion and siesta.
Relentless light faces light.
For whom is the sun? The dreams
Of the wasps mingle and blend.
Will the heat continue alone
With the noontide? Empty peace:
Sky is abandoned to sky
Without a witness or limit.
Suddenly a feeling of
Expectation falls over the
Arena, it settles down
Mute, compact. Nor does it breathe.
How unobstructed the blue,
How tranquil the weight of gravity!
And in the silence is soaring
The full accord of the day,
That before the stupefied bull
Is massed on the sand in yellow.
Fervid heat: a concentration
Of spirits on their own happiness!
Burrowing deep under August
Beings are exploring mines,

¡Calientes minas del ser,
Calientes de ser! Se ahincan,
Se obstinan profundamente
Masas en bloques. ¡Canícula
De bloques iluminados,
Plenarios, para más vida!
—Todo en el ardor va a ser,
Amor, lo que más sería.
¡Ser más, ser lo más y ahora,
Alzarme a la maravilla
Tan mía, que está aquí ya,
Que me rige! La luz guía.

The glowing mines of their being,
Glowing for being! And masses
Persistently urge, compress
Themselves into blocks. Dog days
Of fiery, lighted blocks,
Replete, to give more of life!
Love, all will be in the ardor,
That which should be more.—To be
More, and to be the most now,
To mount up to the marvel
So mine, that 'tis here already,
It commands me! The light leads.

LAS DOCE EN EL RELOJ

Dije: ¡Todo ya pleno!
Un álamo vibró.
Las hojas plateadas
Sonaron con amor.
Los verdes eran grises,
El amor era sol.
Entonces, mediodía,
Un pájaro sumió
Su cantar en el viento
Con tal adoración
Que se sintió cantada
Bajo el viento la flor
Crecida entre las mieses,
Más altas. Era yo,
Centro en aquel instante
De tanto alrededor,
Quien lo veía todo
Completo para un dios.
Dije: Todo, completo.
¡Las doce en el reloj!

TWELVE BY THE CLOCK

I said: All is complete!
As an aspen tree quivered,
Its slender, silvered leaves
Murmured gently with love.
The green leaves were the grey,
And love, it was the sun.
Then, at the height of midday,
A bird submerged his song,
Sank it into the wind
With such true adoration
That the flower, growing midst
Tallest wheat, heard the song
In the wind, knew it was
Meant for her. It was I,
At that moment, the centre
Of so much around me,
Who was seeing that all
Was complete for a god.
I said: All is complete.
It is twelve by the clock!

Gerardo Diego

1   1   1

GERARDO DIEGO was born in Santander in 1896. Studying Philosophy and Letters with the Jesuits and at the Universities of Salamanca and Madrid, he obtained his doctorate in the latter university. He has been professor of Literature in the Institutes of Soria, Gijón, Santander and Madrid. In 1918 he began to write, and his *Versos humanos* gained the *Premio Nacional de Literatura* in 1924. Because of his knowledge and his interest in poetry, literature and music he has delivered many lectures on these subjects in various cities of Spain and South America, and in 1934 he was sent by the Spanish government on a cultural mission to the Philippine Islands. He is a competent critic and has published an excellent anthology of contemporary Spanish poetry. In his taste he has been influenced by some of the classical writers, especially Lope de Vega, and by his contemporaries, Juan Larrea and Vincente Huidobro of Chili. He took part in the original *ultraísta* movement and has direct connections with *creacionismo*. His love for painting, and particularly for music, has left its mark on his poetry.

Ángel Valbuena Prat says of Gerardo Diego: "Two aspects are observed in his work: the human, his love for the landscape of Castile—especially the fields of Soria; . . . and the phase of the *creacionista* poem, of the arbitrary solution, of the conscious elaboration of language, of form. . . . This second aspect is without doubt the most interesting. . . . His books carry us from a juvenile jingling of bells . . . to a constructive architectural security and a harmonious agreement between lyric passion and shaped form . . . Diego demands a new ' genesis ' out of the ruins, with the used-up materials of the old literary world. The expression is typical of these pasteboard and geometric poems in which a new coordination of the poet explains the disconcerting effect, at times, of the whole . . . The success of this system lies in deep poetic intuition, and, because Diego is a true lyricist, a multitude of expressions and poems attain a prophetic beauty . . . If *Imagen* is all vivid color and vibrant music, grey tones and architectonic feeling predominate in *Manuel de espumas* . . . Here a still-life of Picasso has been substituted for the ' Jardins sous la pluie ' of *Imagen*."

Books of poetry published: *El romancero de la novia*, Madrid, 1920; *Imagen*, Madrid, 1922; *Soria*, Valladolid, 1923; *Manuel de espumas*, Madrid, 1924; *Versos humanos*, Madrid, 1925; *Fábula de Equis y Zeda*, Mexico, 1932; *Poemas adrede*, Mexico, 1932; *Ángeles de Compostela*, Madrid, 1940; *Alondra de verdad*, Madrid, 1941 and 1943; *Primera antología*, Buenos Aires, 1941, Second edition, Madrid, 1942; *Romances* (1918-1941), Madrid, 1941; *Poemas adrede* (first complete edition), Madrid, 1943; *El romancero de la novia. Iniciales* (First complete edition), Madrid, 1944; *La sorpresa—Cancionero de Sentaraille*, Madrid, 1944.

TREN

Venid conmigo

Cada estación es un poco de nido

El alma llora porque se ha perdido

Yo   ella

como   dos

golondrinas   paralelas

Y arriba una bandada de estrellas mensajeras

El olvido

deposita sus hojas

en todos los caminos

Sangre   Sangre de aurora

Pero no es más que agua

Agitando los árboles

llueven

llueven silencios

ahorcados de las ramas

Imagen

THE TRAIN

Come with me

Every station is somewhat of a nest

The soul is weeping for it has lost its way

      I   she

     like   two

  parallel   swallows

And above us a flock of messenger stars

Oblivion
     is shedding its leaves
               on all pathways

Blood   Blood of the dawn

   But it is nought but water

The trees stirring
    rain
       they rain down silences
          hanged from the branches

ANGELUS

Sentado en el columpio
el ángelus dormita

Enmudecen los astros y los frutos

Y los hombres heridos
pasean sus surtidores
como delfines líricos

Otros más agobiados
con los ríos al hombro
peregrinan sin llamar en las posadas

La   vida   es   un   único   verso   interminable

Nadie llegó a su fin

Nadie sabe que el cielo es un jardín

Olvido

El ángelus ha fallecido

Con la guadaña ensangrentada
un segador cantando se alejaba

Imagen

THE ANGELUS

Seated in the swing
the Angelus dozes

The stars and the fruits keep silence

And the wounded men
parade their fountains
like lyrical dolphins

Others more weighted down
with rivers on their shoulders
roam around without knocking at the inns

Life is a single interminable line of verse

No one has reached its end

No one knows that heaven is a garden

Oblivion

The Angelus has died

With his scythe stained in blood
a reaper moves away singing

12

ESTETICA

Estribillo　　　　*Estribillo*　　　　*Estribillo*
El canto más perfecto es el canto del grillo

Paso a paso
　　　　se asciende hasta el Parnaso
Yo no quiero las alas de Pegaso

　　　　　　　Dejadme auscultar
　　　el friso sonoro que fluye la fuente

　　Los pallilos de mis dedos
repiquetean ritmos ritmos ritmos
　　en el tamboril del cerebro

Estribillo　　　　*Estribillo*　　　　*Estribillo*
El canto más perfecto es el canto del grillo

　　　　　　　　　　Imagen

BANDEJA

　　　　　　　Nada más

　　Dejar la cabeza

　　sobre la mesilla

Y dormir con el sueño de Holofernes

　　　　　　　Imagen

AESTHETICS

Refrain   Refrain   Refrain
The cricket sings the most perfect song again and again

Step by step
                    we mount up to Parnassus
I do not desire the wings of Pegasus

                        Allow me to listen
                    to the sweet sounding frieze that flows
                        from the fountain

                The drumsticks of my fingers
                tap rhythms rhythms rhythms
                on the drum of my brain

Refrain   Refrain   Refrain
The cricket sings the most perfect song again and again

THE TRAY

                        Nothing more

            To lay one's head

            on the table

And sleep the sleep of Holofernes

COLUMPIO

A caballo en el quicio del mundo
un soñador jugaba al sí y al no

Las lluvias de colores
emigraban al país de los amores

Bandades de flores
Flores de sí   flores de no

Cuchillos en el aire
que le rasgan las carnes
forman un puente

Sí   No

Cabalga el soñador
Pájaros arlequines

cantan el sí   cantan el no

Imagen

SEESAW

Astride the pivot of the world
a dreamer played at yes and no

Copious rains of colors
were migrating to the land of loves

    Brilliant flocks of flowers
Flowers of yes   Flowers of no

    Knives in the air
    which rip up his flesh
    form a bridge

Yes   No

    The dreamer keeps riding
    while harlequin birds

Sing yes   Sing no

MOVIMIENTO PERPETUO

No canta el agua en la rueda
que se murió en la alameda

La luna abre la sombrilla
camino de la alameda

La sortija   La sortija
Dame la mano   dice mi hija

El agua muerta no canta
La luna llora en mi garganta

Todos los pájaros piden limosna

En mi garganta rueda la rueda
El agua ha muerto en la alameda

El agua ha muerto hija
La enterrarán en una sortija

Imagen

PERPETUAL MOTION

The water does not sing on the wheel
for it died on the shaded avenue

The moon opens its parasol
on the way to the avenue

The ring   The ring
Give me your hand   says my daughter

The dead water does not sing
The moon weeps in my throat

All the birds ask for alms

In my throat turns the wheel
The water has died on the avenue

The water has died my daughter
They will bury it in a ring

ROMANCE DEL DUERO

Río Duero, río Duero,
nadie a acompañarte baja;
nadie se detiene a oír
tu eterna estrofa de agua.

Indiferente o cobarde,
la ciudad vuelve la espalda.
No quiere ver en tu espejo
su muralla desdentada.

Tú, viejo Duero, sonríes
entre tus barbas de plata,
moliendo con tus romances
las cosechas mal logradas.

Ya entre los santos de piedra
y los álamos de magia
pasas llevando en tus ondas
palabras de amor, palabras.

Quién pudiera como tú,
a la vez quieto y en marcha
cantar siempre el mismo verso
pero con distinta agua.

Río Duero, río Duero,
nadie a estar contigo baja,
ya nadie quiere atender
tu eterna estrofa olvidada,

sino los enamorados
que preguntan por sus almas
y siembran en tus espumas
palabras de amor, palabras.

Soria

BALLAD OF THE RIVER DUERO

Duero, river Duero,
no one comes down to go with you;
no one stays his steps to hearken
your endless strophe of water.

Indifferent or a coward,
the city turns her back to you.
She cares not to see reflected
her toothless walls in your mirror.

You old Duero, you smile
between your whiskers of silver,
grinding with your own romances
harvests that have gone astray.

And between the saints of stone
and the poplar trees of magic
you pass, bearing on your waves
words, the words of love, just words.

Who would be able as you
quiet but also in motion
always to sing the same stanza
but sing it with different water?

Duero, river Duero,
no one comes down to be with you,
and no one cares to give heed
to your eternal forgotten strophe.

No, no one except the lovers
who question about their souls
and who sow amidst your foam
words, the words of love, just words.

PRIMAVERA

Ayer   *Mañana*
Los días niños cantan en mi ventana

Las casas son todas de papel
y van y vienen las golondrinas
doblando y doblando esquinas

Violadores de rosas
Gozadores perpetuos del marfil de la cosas
Ya tenéis aquí el nido
que en la más bella grúa se os ha construído

Y desde él cantaréis todos
en las manos del viento

                    Mi vida es un limón
                pero no es amarilla mi canción

                        Limones y planetas
                        en las ramas del sol
                    Cuántas veces cobijasteis
                    la sombra verde de mi amor
                    la sombra verde de mi amor

La primavera nace
y en su cuerpo de luz la lluvia pace

El arco iris brota de la cárcel

Y sobre los tejados
mi mano blanca es un hotel
para palomas de mi cielo infiel

                        Manuel de espumas

SPRING

Yesterday   To-morrow
The young days sing at my window

Houses are all made of paper
and the swallows come and go
flying round and round the corners

Violators of roses
Eternal enjoyers of the ivory of things
you have here the nest
that in the most beautiful crane has been built for you

And from it you all will sing
in the hands of the wind

           Oh my life is a lemon
           but my song is not yellow

           Lemons and planets
           on the branches of the sun
           How often did you shelter
           the green shade of my love
           the green shade of my love

Spring is born
and on its substance of light the rain grazes

The rainbow breaks forth from its prison

And over the roof tops
my white hand is a hotel
for doves of my faithless heaven

NUBES

Yo   *pastor de bulevares*
desataba los bancos
y sentado en la orilla corriente del paseo
dejaba divagar mis corderos escolares

Todo había cesado
Mi cuanderno
                   única fronda del invierno
y el quiosco bien anclado entre la espuma

Yo pensaba en los lechos sin rumbo siempre frescos
para fumar mis versos y contar las estrellas

Yo pensaba en mis nubes
                    olas tibias del cielo
que buscan domicilio sin abatir el vuelo

Yo pensaba en los pliegues de las mañanas bellas
planchadas al revés que mi pañuelo

Pero para volar
es menester que el sol pendule
y que gire en la mano nuestra esfera armilar

Todo es distinto ya

Mi corazón bailando equivoca a la estrella
y es tal la fiebre y la electricidad
que alumbra incandescente la botella

Ni la torre silvestre
distribuye los vientos girando lentamente
ni mis manos ordeñan las horas recipientes

CLOUDS

I   shepherd of boulevards
was setting loose the benches
and seated on the flowing banks of the sidewalk
I was allowing my scholar sheep to roam

All had come to an end
My portfolio
            the only foliage of winter
and the news-stand well anchored amidst the foam

I was thinking of beds idly drifting always fresh
in order to smoke my verses and number the stars

I was thinking of my clouds
                          warm waves of the sky
that seek a dwelling place without ceasing to fly

I was thinking of the folds of the fair mornings
contrarywise from my handkerchief pressed awry

But in order to fly
'tis essential the sun should oscillate
and that in our hand should turn the celestial globe

All things different are

My dancing heart aquiver simulates a star
and such the fever and the electricity
that with glowing heat it lights the Leyden jar

Neither does the rustic tower
divide and distribute the winds slowly revolving
nor do my petulant hands milk the close packed hours

Hay que esperar el desfile
de las borrascas y las profecías
Hay que esperar que nazca de la luna
el pájaro mesías

Todo tiene que llegar

El oleaje del cine es igual que el del mar
Los días lejanos cruzan por la pantalla
Banderas nunca vistas perfuman el espacio
y el teléfono trae ecos de batalla

Las olas dan la vuelta al mundo
Ya no hay exploradores del polo y del estrecho
y de una enfermedad desconocida
se mueren los turistas
la guía sobre el pecho

Las olas dan la vuelta al mundo
Yo me iría con ellas
Ellas todo lo han visto
No retornan jamás ni vuelven la cabeza
almohadas dehuciadas y sandalias de Cristo

Dejadme recostado eternamente

Yo fumaré mis versos y llevaré mis nubes
por todos los caminos de la tierra y del cielo
Y cuando vuelva el sol en su caballo blanco
mi lecho equilibrado alzará el vuelo

Manuel de espumas

We must await the procession
of the tempests and the prophetic word
We must wait until of the moon is born
the Messianic bird

All things must come to me

The motion of the movie is like surge of the sea
Days in the remote distance pass across the screen
The telephone wires bring to us echoes of battle
and space is made fragrant by banners never seen

Waves make the tour of the world
There are no longer explorers of pole and of strait
and of an unknown sickness
the tourists die guide book
on the breast a dead weight

Waves make the tour of the world
I would go with them
They have seen all
and they never come back nor turn their head
dispossessed pillows and sandals of Christ

Leave me forever reclining

I shall smoke my verses and bear away my clouds
through all the pathways of earth and to heaven's height
And when the sun returns upon his snow-white courser
my bed delicately poised will take off for flight

Federico García Lorca

ᵠ   ᵠ   ᵠ

FEDERICO GARCÍA LORCA was born in Granada in 1899 (?) of well-to-do and cultured parents, and his childhood was passed in the country. He studied Law, Philosophy and Letters in the Universities of Granada and Madrid, and took his degree in Law in Granada in 1923. When he went to Madrid in 1919, his attractive personality and his talents, literary, musical and artistic, won for him friends among the best writers of Spain who congregated there. In 1921 he put on his first play and brought out his first book of poems, and from then on to 1929 he published the books that proved him to be a great and original poet.

At an early age he learned to play the piano, and his great love for music was fostered and refined by the fatherly interest of the composer, Manuel de Falla. Through him he came to know the best modern music and also the *Cante jondo* or Deep Song, the oldest and most characteristic type of Andalusian folk-music. García Lorca transcribed and harmonized ballads and popular songs. He also had great facility in sketching and painting, and in 1927 his work was exhibited in Barcelona.

In 1929 he went to New York and his stay there of a few months bore fruit in his book, *Poeta en Nueva York.* From there he went to Cuba. On his return to Spain he became director, with Eduardo Ugarte, of *La Barraca* a travelling theatre which gave classical and modern plays acted by university students. In 1933 he went to Buenos Aires where he directed representations of his own plays and the Spanish classics. There he met with very marked success, and he returned to Madrid with a feeling of confidence and gratification. In August 1936 he was full of enthusiasm and plans for the future. Although he had taken no part in the Civil War, it was in this month that he fell, one of its earliest victims.

William Carlos Williams writes of Federico García Lorca: " There has always seemed to be a doubt in the minds of Spaniards that their native metres were subtle enough, flexible enough to bear modern stresses. But Lorca, aided by the light of Twentieth-Century thought, discovered in the old forms the very essence of to-day. Reality, immediacy; by the vividedness of the image invoking the mind to start awake. This peculiarly modern mechanic Lorca found ready to his hand. He took up the old tradition, and in a more congenial age worked with it, as others had not been able to do, until he forced it—without borrowing—to carry on as it had come to him, intact through the ages, warm, unencumbered by draperies of imitative derivation—the world again under our eyes."

Ángel Valbuena Prat says: " The *Romancero gitano* has extraordinary value in the history of Spanish lyric poetry . . . Lorca not only perceives that the ballad is a form that can always be used for popular expression, but he injects into it images, expressions, repetitions, a whole rich gamut of color, of music, of expressive and original vocabulary. Throughout all the ballads the intuitions are surprising, beyond all limits of explanation or definition . . . Federico García Lorca is the great interpreter of the collective soul of the [Spanish] people."

Writing of Lorca Ángel del Río says: " His poetic world is conditioned by that artistic capacity to gather the waves of the immediate and transform them into essence, not intellective but sensory. It is for that reason, from the point of view of the mind, an elemental world, but complex and profound, within its elementariness: the childlike, charm of life and of feeling, elemental passions, love and instinct. And as a background for all, Nature, never nature formerly made idea or method as in the classic, nor the disordered reflection of the subjective or the shelter of peace as in the romantic, but resolved into its component parts in infinite variety, which on being expressed produces, in its turn, a most varied gradation of feelings—from tenderness for the small, grass, brook, animal or plant, to the pagan breath of his rural tragedies or the moonlight nocturnes so abundant in his poetry. Often it appears stylized, in a minor key, but we do not believe that the Lorca of the jests, of the songs and musical arabesques, although at times he may be the finest and most real, gives us all the measure of his creative power.

The natural, direct and vital feeling that his inspiration reveals had to be translated into dynamic and dramatic lyricism, whose ultimate motivation brings us into the presence of Death. In it we recognize the great theme of Lorca's poetry, his constant obsession, even when delicate grace of rhythm and of image or of irony make us forget it."

Books of poetry published: *Libro de poemas*, Madrid 1921; *Canciones*, Malaga, 1927, Madrid, 1929; *Romancero gitano*, Madrid, 1928; *Poesías sueltas*, New York, 1930; *Poema del cante jondo*, Madrid, 1931; *Oda a Walt Whitman*, Mexico, 1933; *Llanto por Ignacio Sánchez Mejías*, Madrid, 1935; *Poeta en Nueva York*, Mexico, 1940; *Obras completas*, Buenos Aires, 1940.

CANCIÓN DE JINETE

Córdoba.
Lejana y sola.

Jaca negra, luna grande
y aceitunas en mi alforja.
Aunque sepa los caminos
yo nunca llegaré a Córdoba.

Por el llano, por el viento,
jaca negra, luna roja,
la muerte me está mirando
desde las torres de Córdoba.

¡Ay qué camino tan largo!
¡Ay mi jaca valerosa!
¡Ay que la muerte me espera,
antes de llegar a Córdoba!

Córdoba.
Lejana y sola.

Libro de poemas

RIDER'S SONG

Córdoba.
Distant and lonely.

Black my pony, full the moon
and olives stowed in my saddle-bags.
Though well I may know the way
I'll never arrive at Córdoba.

Across the plain, through the wind,
black my pony, red the moon,
stark death is staring at me
from the tall towers of Córdoba.

Alas, how long is the way!
Alas, for my brave black pony!
Alas, stark death awaits me
before I arrive at Córdoba!

Córdoba.
Distant and lonely.

ROMANCE SONÁMBULO

Verde que te quiero verde.
Verde viento. Verdes ramas.
El barco sobre la mar
y el caballo en la montaña.
Con la sombra en la cintura
ella sueña en su baranda,
verde carne, pelo verde,
con ojos de fría plata.
Verde que te quiero verde.
Bajo la luna gitana,
las cosas la están mirando
y ella no puede mirarlas.

Verde que te quiero verde.
Grandes estrellas de escarcha
vienen con el pez de sombra
que abre el camino del alba.
La higuera frota su viento
con la lija de sus ramas,
y el monte, gato garduño,
eriza sus pitas agrias.
Pero ¿quién vendrá? ¿Y por dónde . . . ?
Ella sigue en su baranda,
verde carne, pelo verde,
soñando en la mar amarga.

—Compadre, quiero cambiar
mi caballo por su casa,
mi montura por su espejo,
mi cuchillo por su manta.

BALLAD WALKING IN SLEEP

Green, oh I want you green.
Green wind and green the branches.
The ship upon the sea
and the horse on the mountain.
With shade at her girdle,
she dreams at her railing,
green her flesh, green her hair,
and her eyes of cold silver.
Green, oh I want you green.
Under the gipsy moon,
things are gazing at her,
she cannot gaze at them.

Green, oh I want you green.
Shining stars of white frost
come with the fish of shadow
opening the way of dawn.
The fig tree rubs its wind
with rough bark of its branches,
the mountain, thieving cat,
stretches out its sharp cactus.
But who will come? From where . . . ?
She is still at her railing,
green her flesh, green her hair,
dreaming of bitter sea.

—My father, I would exchange
my good horse for her house,
my saddle for her mirror,
my sharp knife for her blanket.

Compadre, vengo sangrando,
desde los puertos de Cabra.
—Si yo pudiera, mocito,
este trato se cerraba.
Pero yo ya no soy yo,
ni mi casa es ya mi casa.
—Compadre, quiero morir
decentemente en mi cama.
De acero, si puede ser,
con las sábanas de holanda.
¿No ves la herida que tengo
desde el pecho a la garganta?
—Trescientas rosas morenas
lleva tu pechera blanca.
Tu sangre rezuma y huele
alrededor de tu faja.
Pero yo ya no soy yo,
ni mi casa es ya mi casa.
—Dejadme subir al menos
hasta las altas barandas;
¡Dejadme subir!, dejadme,
hasta las verdes barandas.
Barandales de la luna
por donde retumba el agua.

Ya suben los dos compadres
hacia las altas barandas.
Dejando un rastro de sangre.
Dejando un rastro de lágrimas.
Temblaban en los tejados
farolillos de hojalata.
Mil panderos de cristal
herían la madrugada.

My father, I come bleeding
from the passes of Cabra.
—Were I able, young fellow,
this deal here would be settled.
But I am I no longer,
nor is my house now mine.
—My father, I would die
decently in my bed.
Of steel, if it may be,
with the sheets of fine linen.
Do you not see the wound
from my breast to my neck?
—Three hundred dark red roses
are on your snow white shirt,
the warm blood oozes out
round the swathes of your sash.
But I am I no longer,
nor is my house now mine.
—Let me at least go up
as far as the high railings;
let me, let me go up,
as far as the green railings.
Balustrades of the moon
through which water resounds.

Now the two comrades climb
up towards the high railings.
Leaving a trail of blood.
Leaving a trail of tears.
On the roof tops were trembling
little lanterns of tin.
Tambourines of crystal by
thousands wounded the dawn.

Verde que te quiero verde,
verde viento, verdes ramas.
Los dos compadres subieron.
El largo viento dejaba
en la boca un raro gusto
de hiel, de menta y albahaca.
¡Compadre! ¿Dónde está, dime,
dónde está tu niña amarga?
¡Cuántas veces te esperó!
¡Cuántas veces te esperara,
cara fresca, negro pelo,
en esta verde baranda!

Sobre el rostro del aljibe
se mecía la gitana.
Verde carne, pelo verde,
con ojos de fría plata.
Un carámbano de luna
la sostiene sobre el agua.
La noche se puso íntima
como una pequeña plaza.
Guardias civiles borrachos
en la puerta golpeaban.
Verde que te quiero verde.
Verde viento. Verdes ramas.
El barco sobre la mar,
Y el caballo en la montaña.

Romancero gitano

Green, oh I want you green,
green wind and green the branches.
The two comrades climbed up.
The long, long wind was leaving
in the mouth a strange taste
of gall, mint and sweet basil.
—My father, tell me where,
where is your bitter daughter?
—How often she waited for you!
Oh, how often had she waited,
fresh young face and black hair,
standing at this green railing !

Above the cistern's surface
the gipsy girl was swaying.
Green her flesh, green her hair
and her eyes of cold silver.
An icicle of the moon
upheld her on the water.
Then the night became homely
as a little town square.
The drunken civil guards
were knocking at the door.
Green, oh I want you green.
Green wind and green the branches.
The ship upon the sea,
and the horse on the mountain.

ROMANCE DE LA GUARDIA
CIVIL ESPAÑOLA

Los caballos negros son.
Las herraduras son negras.
Sobre las capas relucen
manchas de tinta y de cera.
Tienen, por eso no lloran,
de plomo las calaveras.
Con el alma de charol
vienen por la carretera.
Jorobados y nocturnos,
por donde animan ordenan
silencios de goma oscura
y miedos de fina arena. (?)
Pasan, si quieren pasar,
y ocultan en la cabeza
una vaga astronomía
de pistolas inconcretas.

¡Oh ciudad de los gitanos!
En las esquinas, banderas.
La luna y la calabaza
con las guindas en conserva.
¡O ciudad de los gitanos!
Ciudad de dolor y almizcle,
con las torres de canela.
Cuando llegaba la noche,
noche que noche nochera,
los gitanos en sus fraguas

BALLAD OF THE SPANISH
CIVIL GUARD

Black, all black are their horses
and black also their horseshoes.
Over their dark cloaks glisten
spots of ink and of wax.
Their skulls are skulls of lead,
for this they cannot weep.
With soul of patent leather
down the road they come riding.
Hunchbacked and nocturnal,
where they move they evoke
silences of dark rubber
and dread fears of fine sand.
They pass, if pass they will,
and hidden in their noddles
is a misty astronomy
of immaterial pistols.

Oh city of the gipsies!
At the corners are banners.
The pumpkin and the moon
with preserved mazard berries.
Oh city of the gipsies!
City of grief and musk,
with tall towers of cinnamon.
When the night was approaching,
night, the night that was darksome,
the gipsies in their founderies

forjaban soles y flechas.
Un caballo malherido
llamaba a todas las puertas.
Gallos de vidrio cantaban |?
por Jerez de la Frontera. |
El viento vuelve desnudo
la esquina de la sorpresa,
en la noche platinoche,
noche que noche nochera.

La Virgen y San José
perdieron sus castañuelas,
y buscan a los gitanos
para ver si las encuentran.
La Virgen viene vestida
con un traje de alcaldesa,
de papel de chocolate
con los collares de almendras.
San José mueve los brazos
bajo una capa de seda.
Detrás va Pedro Domecq
con tres sultanes de Persia.
La media luna soñaba |?
un éxtasis de cigüeña. |
Estandartes y faroles
invaden las azoteas.
Por los espejos sollozan
bailarinas sin caderas.
Agua y sombra, sombra y agua
por Jerez de la Frontera.

were forging suns and arrows.
Badly wounded, a horse
at all the gates was knocking.
Cocks of crystal were crowing
at Jerez of the wine cellars.
The naked wind is turning
the corner of surprise
on the night, silver night,
night, the night that is darksome.

The Virgin and Saint Joseph
have lost their castanets,
and they look for the gipsies
to see if they can find them.
The Virgin comes dressed in
the gown of a mayor's wife,
made of glittering tinsel,
with a necklace of almonds.
Saint Joseph struts past pompously,
wearing a cloak of silk
Behind walks Pedro Domecq
(the great merchant of wines),
with three sultans of Persia.
The crescent moon was dreaming
of an ecstasy of storks.
Banners and lanterns deck
the flat roofs of the houses.
Dancers, slender and hipless,
wander sobbing through mirrors.
Nought but water and shadow
at Jerez of the wine cellars.

¡Oh ciudad de los gitanos!
En las esquinas, banderas.
Apaga tus verdes luces
que viene la benemérita.
¡Oh ciudad de los gitanos!
¿Quién te vió y no te recuerda?
Dejadla lejos del mar,
sin peines para sus crenchas.

Avanzan de dos en fondo
a la ciudad de la fiesta.
Un rumor de siemprevivas
invade las cartucheras.
Avanzan de dos en fondo.
Doble nocturno de tela.
El cielo, se les antoja
una vitrina de espuelas.

La ciudad, libre de miedo,
multiplicaba sus puertas.
Cuarenta guardias civiles
entran a saco por ellas.
Los relojes se pararon,
y el coñac de las botellas
se disfrazó de noviembre
para no infundir sospechas.
Un vuelo de gritos largos
se levantó en las veletas.
Los sables cortan las brisas
que los cascos atropellan.
Por las calles de penumbra
huyen las gitanas viejas

Oh city of the gipsies!
At the corners are banners.
Put out all your green lights,
for the worthy guard comes.
Oh city of the gipsies!
Who saw you and can forget?
Leave her far from the sea,
without combs for her tresses.

They advance two abreast
on the holiday city.
A sound of everlastings
invades the cartridge boxes.
They advance two abreast.
Double nocturne of cloth.
For them the sky with stars
is a show-case of spurs.

The city, free of fear,
was multiplying its gates.
The Civil Guard, forty strong,
through them enters to plunder.
Clocks and watches all stopped,
and the brandy in bottles
masked itself as November
not to arouse suspicion.
Then a flight of long howls
rose in the weathercocks.
Sabers slash through the breezes
that hoofs crush under foot.
Through the shadowy streets
the ancient gipsies flee

con los caballos dormidos
y las orzas de moneda.
Por las calles empinadas
suben las capas siniestras,
dejandos detrás fugaces
remolinos de tijeras.

En el portal de Belén
los gitanos se congregan.
San José, lleno de heridas,
amortaja a una doncella.
Tercos fusiles agudos
por toda la noche suenan.
La Virgen cura a los niños
con salivilla de estrella.
Pero la Guardia civil
avanza sembrando hogueras,
donde joven y desnuda
la imaginación se quema.
Rosa la de los Camborios
gime sentada en su puerta
con sus dos pechos cortados
puestos en una bandeja.
Y otras muchachas corrían
perseguidas por sus trenzas,
en un aire donde estallan
rosas de pólvora negra.
Cuando todos los tejados
eran surcos en la tierra,
el alba meció sus hombros
en largo perfil de piedra.

leading their sleepy horses,
in their hands jars of money.
Up the steep, narrow streets
climb the sinister cloaks,
leaving back in their wake
myriads of whirling scissors.

Now the gipsies are gathered
around Bethlehem's gate.
Saint Joseph, full of wounds,
wraps a girl in a shroud.
Sounds of sharp rifle shots
are heard all the night long.
The Virgin heals the children
with the spittle of stars.
But now the Civil Guard
advances spreading fires
where the youthful and naked
imagination burns.
Rosa Camborios groans
seated outside her door,
both of her breasts cut off
and laid out on a tray.
And other girls were running
their braids pursuing after,
where in the air are exploding
rosettes of black gun-powder.
When all the low roofs were
but furrows on the ground,
then the dawn shrugged its shoulders
on a long outline of stone.

¡Oh, ciudad se los gitanos!
La Guardia civil se aleja
por un túnel de silencio
mientras las llamas te cercan.

¡Oh, ciudad de los gitanos!
¿Quién te vió y no te recuerda?
Que te busquen en mi frente.
Juego de luna y arena.

Romancero gitano

Oh city of the gipsies!
The Civil Guard moves off
through a tunnel of silence
while the flames surround you.

Oh city of the gipsies!
Who saw you and can forget?
Let them seek you in my forehead,
You, sport of moon and of sand.

EL GRITO

La elipse de un grito
va de monte
a monte.

Desde los olivos,
será un arco iris negro
sobre la noche azul.

¡Ay!

Como un arco de viola
el grito ha hecho vibrar
largas cuerdas del viento.

¡Ay!

(Las gentes de las cuevas
asoman sus velones).

¡Ay!

Poema del cante jondo

EL SILENCIO

Oye, hijo mío, el silencio.
Es un silencio ondulado,
un silencio,
donde resbalan valles y ecos
y que inclina las frentes
hacia el suelo.

Poema del cante jondo

THE CRY

The ellipse of a cry
reaches from mountain
to mountain.

From the groves of olives
it will be a black rainbow
over the blue of night.

     Ah!

Like the bow of a viola
the cry has made to vibrate
long cords of the wind.

     Ah!

Peoples from the dark caves
bring out all of their lamps.

     Ah!

THE SILENCE

Listen, my son, to the silence.
It is a quivering silence,
a silence,
where valleys and echoes glide,
and that bows down all foreheads
to the ground.

Y DESPUÉS

Los laberintos
que crea el tiempo
se desvanecen.

(Sólo queda
el desierto).

El corazón,
fuente del deseo,
se desvanece.

(Sólo queda
el desierto).

La ilusión de la aurora
y los besos,
se desvanecen.

Sólo queda
el desierto.
Un ondulado
desierto.

Poema del cante jondo

AFTERWARDS

The labyrinths
that time creates
fade away.

(The desert
alone remains).

The heart,
fount of desire,
fades away.

(The desert
alone remains).

The illusion of **dawn**
and the kisses
fade away.

The desert
alone remains,
an undulating
desert.

TIERRA SECA

Tierra seca,
tierra quieta
de noches
inmensas.

(Viento en el olivar,
viento en la sierra).

Tierra
vieja
del candil
y la pena.
Tierra
de las hondas cisternas.

Tierra
de la muerte sin ojos
y las flechas.

(Viento por los caminos.
Brisa en las alamedas).

Poema del cante jondo

ARID LAND

Arid land,
silent land
of nights
unending.

(Wind in the olive groves,
wind on the mountains).

Ancient
land
of peasant lamp
and of sorrow.
Land
of the deep, deep cisterns.

Land
of death, of eyeless death
and of arrows.

(Wind through the highways.
Breeze through the avenues).

PUEBLO

Sobre el monte pelado,
un calvario.
Agua clara
y olivos centenarios.
Por las callejas
hombres embozados,
y en las torres
veletas girando.
Eternamente
girando.
¡Oh, pueblo perdido,
en la Andalucía del llanto!

Poema del cante jondo

PUÑAL

El puñal,
entra en el corazón,
como la reja del arado
en el yermo.

No.
No me lo claves.
No.

El puñal,
como un rayo de sol,
incendia las terribles
hondonadas.

No.
No me lo claves.
No.

Poema del cante jondo

LITTLE TOWN

Above on the bare mountain
a calvary.
Clear water
and olive trees centuries old.
In the narrow streets
men in dark cloaks muffled,
and on the towers
weather-vanes turning.
Eternally
turning.
Oh, little lost town,
in an Andalusia of sorrow!

THE DAGGER

The dagger
enters the heart,
as the blade of the plow
the waste land.

   No.
Do not pierce me.
   No.

The dagger
like a ray of sun,
sets on fire the terrible,
deep ravines.

   No.
Do not pierce me.
   No.

¡AY!

El grito deja en el viento
una sombra de ciprés.

(Dejadme en este campo,
llorando.)

Todo se ha roto en el mundo.
No queda más que el silencio.

(Dejadme en este campo,
llorando.)

El horizonte sin luz
está mordido de hogueras.

(Ya os he dicho que me dejéis
en este campo,
llorando.)

Poema del cante jondo

LAMENT

The cry has left in the wind
naught but a shadow of cypress.

(Leave me in this field weeping,
all alone.)

All in the world has been shattered.
Nothing is left but the silence.

(Leave me in this field weeping,
all alone.)

The horizon without light
is bitten by flames of bon-fires.

(I have asked you to leave me
in this field weeping,
all alone.)

SORPRESA

Muerto se quedó en la calle
con un puñal en el pecho.
No lo conocía nadie.
¡Cómo temblaba el farol!
Madre.
Cómo temblaba el farolito
de la calle!
Era madrugada. Nadie
pudo asomarse a sus ojos
abiertos al duro aire.
Que muerto se quedó en la calle
que con un puñal en el pecho
y que no lo conocía nadie.

Poema del cante jondo

SURPRISE

There he lay dead in the street
with a dagger in his breast,
and he was known to no one.
Oh, how the street lamp was trembling,
Mother!
Oh, how the little lamp was trembling,
there in the street!
It was early dawn. No one
could look down into his eyes
open to the hard, cold air.
Yes, there he lay dead in the street
with a sharp dagger in his breast
and he was known to no one.

LA SOLEÁ

Vestida con mantos negros
piensa que el mundo es chiquito
y el corazón es inmenso.

Vestida con mantos negros.

Piensa que el suspiro tierno
y el grito, desaparecen
en el corriente del viento.

Vestida con mantos negros.

Se dejó el balcón abierto
y el alba por el balcón
desembocó todo el cielo.

¡Ay yayayayay,
que vestida con mantos negros!

Poema del cante jondo

SOLEDAD

Dressed in a mantle of black
she thinks that the world is tiny
and that the heart is immense.

Dressed in a mantle of black.

She thinks that the tender sigh
and the cry, are disappearing
in the current of the wind.

Dressed in a mantle of black.

She left her balcony window
wide open and there the dawn
unloaded all of the sky.

Alas, alas and alas,
she, dressed in a mantle of black!

LAS SEIS CUERDAS

La guitarra
hace llorar a los sueños.
El sollozo de las almas
perdidas
se escapa por su boca
redonda.
Y como la tarántula
teje una gran estrella
para cazar suspiros,
que flotan en su negro
aljibe de madera.

Poema del cante jondo

SIX STRINGS

The guitar
makes the dreams weep.
The sobbing of souls
that are lost
escapes from its round
open mouth.
And like the tarantula
it weaves a great star
to catch the sighs
that float on its dark
pool of wood.

LA LOLA

Bajo el naranjo, lava
pañales de algodón.
Tiene verdes los ojos
y violeta la voz.

¡Ay, amor,
bajo el naranjo en flor!

El agua de la acequia
iba llena de sol;
en el olivarito
cantaba un gorrión.

¡Ay, amor,
bajo el naranjo en flor!

Luego, cuando la Lola
gaste toda el jabón,
vendrán los torerillos.

¡Ay, amor,
bajo el naranjo en flor!

Poema del cante jondo

LOLA

Beneath the orange tree,
she cleanses clothes of cotton.
Green, green are her eyes
and violet her voice.

Ah, my love,
beneath the flowering orange!

The water of the fountain
was flowing full of sun,
and a song-sparrow singing
in the little olive grove.

Ah, my love,
beneath the flowering orange!

Then when Lola has ended
and all her soap is gone,
little bull-fighters will come.

Ah, my love,
beneath the flowering orange!

MEMENTO

Cunado yo me muera,
enterradme con mi guitarra
bajo la arena.

Cunado yo me muera
entre los naranjos
y la hierbabuena.

Cuando yo me muera,
enterradme, si queréis,
en una veleta.

¡Cuando yo me muera!

Poema del cante jonde

MEMENTO

When I come to die,
bury me with my guitar
beneath the sand.

When I come to die,
among the orange trees
and the spearmint.

When I come to die,
bury me, if you will,
in a weather-vane.

When I come to die!

LLANTO POR
IGNACIO SÁNCHEZ MEJÍAS

I

LA COGIDA Y LA MUERTE

A las cinco de la tarde.
Eran las cinco en punto de la tarde.
Un niño trajo la blanca sábana
a las cinco de la tarde.
Una espuerta de cal ya prevenida
a las cinco de la tarde.
Lo demás era muerte y sólo muerte
a las cinco de la tarde.

El viento se llevó los algodones
a las cinco de la tarde.
Y el óxido sembró cristal y níquel
a las cinco de la tarde.
Ya luchan la paloma y el leopardo
a las cinco de la tarde.
Y un muslo con un asta desolada
a las cinco de la tarde.

Comenzaron los sones de bordón
a las cinco de la tarde.
Las campanas de arsénico y el humo
a las cinco de la tarde.
En las esquinas grupos de silencio
a las cinco de la tarde.
¡Y el toro solo corazón arriba!
a las cinco de la tarde.

LAMENT FOR THE
DEATH OF A BULL-FIGHTER

I

TOSSING AND DEATH

At five in the afternoon.
At precisely five in the afternoon.
A little boy came bringing the white sheet
at five in the afternoon.
A basket of lime already prepared
at five in the afternoon.
And the rest was death and nothing but death
at five in the afternoon.

The wind whirled away the pieces of cotton
at five in the afternoon.
And the oxide scattered crystal and nickel
at five in the afternoon.
Already the dove and leopard are fighting
at five in the afternoon.
And a thigh with a disconsolate horn
at five in the afternoon.

The grim sound of the bass strings had begun
at five in the afternoon.
The bells of arsenic and smoke were ringing
at five in the afternoon.
On the corners were gathered groups of silence
at five in the afternoon.
And the bull advancing alone heart uppermost
at five in the afternoon.

Cuando el sudor de nieve fué llegando
a las cinco de la tarde,
cuando la plaza se cubrió de yodo
a las cinco de la tarde,
la muerte puso huevos en la herida
a las cinco de la tarde.
A las cinco de la tarde.
A las cinco en punto de la tarde.

Un ataúd con ruedas es la cama
a las cinco de la tarde.
Huesos y flautas suenan en su oído
a las cinco de la tarde.
El toro ya mugía por su frente
a las cinco de la tarde.
El cuarto se irisaba de agonía
a las cinco de la tarde.
A lo lejos ya viene la gangrena
a las cinco de la tarde.
Trompa de lirio por las verdes ingles
a las cinco de la tarde.
Las heridas quemaban como soles
a las cinco de la tarde,
y el gentío rompía las ventanas
a las cinco de la tarde.
A las cinco de la tarde.
¡Ay, qué terribles cinco de la tarde!
¡Eran las cinco en todos los relojes!
¡Eran las cinco en sombra de la tarde!

When the cold sweat of snow was beginning
at five in the afternoon,
when the arena was covered with iodine
at five in the afternoon,
then death laid eggs in the wound
at five in the afternoon.
At five in the afternoon.
At precisely five in the afternoon.

A casket on wheels is his bed
at five in the afternoon.
Bones and flutes sound in his ears
at five in the afternoon.
The bull was bellowing across his forehead
at five in the afternoon,
and the whole chamber was shot through with agony
at five in the afternoon.
From the distance now is coming gangrene
at five in the afternoon,
a lily-white trumpet on the green groins
at five in the afternoon.
The wounds were burning like suns
at five in the afternoon.
The crowd was breaking the windows
at five in the afternoon.
At five in the afternoon.
Terrible hour, five in the afternoon!
All the clocks were striking the hour of five,
of five, of shadow, in the afternoon.

II

LA SANGRE DERRAMADA

¡Que no quiero verla!

Dile a la luna que venga,
que no quiero ver la sangre
de Ignacio sobre la arena.

¡Que no quiero verla!

La luna de par en par.
Caballo de nubes quietas,
y la plaza gris del sueño
con sauces en las barreras.
¡Que no quiero verla!
Que mi recuerdo se quema.
¡Avisad a los jazmines
con su blancura pequeña!

¡Que no quiero verla!

La vaca del viejo mundo
pasaba su triste lengua
sobre un hocico de sangres
derramadas en la arena,
y los toros de Guisando,
casi muerte y casi piedra,
mugieron como dos siglos
hartos de pisar la tierra.
No.

¡Que no quiero verla!

II

Spilled Blood

No, I don't want to see it!

Tell the moon to come,
I don't want to see the blood
of Ignatius on the sand.

No, I don't want to see it!

The moon fully rounded.
Horse of the quiet clouds,
and the grey ring of sleep
with willows round the fences.
No, I don't want to see it!
My memory is burning.
Warn the jessamine flowers
with their delicate whiteness.

No, I don't want to see it!

The cow of the ancient world
was passing her joyless tongue
over a muzzle of blood
spilled on the sand of the ring,
and the bulls of Guisando,
near to death, almost stone,
were bellowing like two centuries
tired of treading the earth.
No.

No, I don't want to see it!

Por las gradas sube Ignacio
con toda su muerte a cuestas.
Buscaba el amanecer,
y el amanecer no era.
Busca su perfil seguro,
y el sueño lo desorienta.
Buscaba su hermoso cuerpo
y encontró su sangre abierta.
¡No me digáis que la vea!
No quiero sentir el chorro
cada vez con menos fuerza;
ese chorro que ilumina
los tendidos y se vuelca
sobre la pana y el cuero
de muchedumbre sedienta.
¡Quién me grita que me asome!
¡No me digáis que la vea!

No se cerraron sus ojos
cuando vió los cuernos cerca,
pero las madres terribles
levantaron la cabeza.
Y a través de las ganaderías,
hubo un aire de voces secretas
que gritaban a toros celestes,
mayorales de pálida niebla.
No hubo príncipe en Sevilla
que comparársele pueda,
ni espada como su espada
ni corazón tan de veras.
Como un río de leones
su maravillosa fuerza,

Up the steps came Ignatius
with all his death on his shoulders.
He was searching for the dawn,
and the dawn was not.
He is seeking his firm profile,
and in sleep he has lost it.
He sought his beautiful body
and he found his flowing blood.
Do not ask me to see it!
I do not wish to perceive
its flowing each time with less
force; that oozing stream that tinges
the rows of seats and is spilling
over the plush and leather
of the thirsting multitude.
Who calls to me that I come!
Do not ask me to see it!

His fearless eyes did not close
when he saw the horns near him,
but they, the terrible mothers,
lifted up their heads.
And across the cattle ranches
blew a wind of secret voices,
they cried out to the bulls of heaven,
the herdsmen of pallid mist.
There was no prince in Seville
that could be compared to him,
nor was there sword like his sword,
nor ever a heart so true.
Like to a river of lions,
such was his marvellous strength,

y como un torso de mármol
su dibujada prudencia.
Aire de Roma andaluza
le doraba la cabeza
donde su risa era un nardo
de sal y de inteligencia.
¡Qué gran torero en la plaza!
¡Qué buen serrano en la sierra!
¡Qué blando con las espigas!
¡Qué duro con las espuelas!
¡Qué tierno con el rocío!
¡Qué deslumbrante en la feria!
¡Qué tremendo con las últimas
banderillas de tiniebla!

Pero ya duerme sin fin.
Ya los musgos y la hierba
abren con dedos seguros
la flor de su calavera.
Y su sangre ya viene cantando:
cantando por marismas y praderas,
resbalando por cuernos ateridos,
vacilando sin alma por la niebla,
tropezando con miles de pezuñas
como una larga, oscura, triste lengua,
para formar un charco de agonía
junto al Guadalquivir de las estrellas.
¡Oh blanco muro de España!
¡Oh negro toro de pena!
¡Oh sangre duro de Ignacio!
¡Oh ruiseñor de sus venas!
No.

like to a torso of marble
such was his prudence portrayed.
His head was gilded with the
air of a Rome Andalusian,
and his laugh was a tuberose
of salt and of understanding.
In the bull-ring what a fighter!
On the mountain what a climber!
How gentle with spears of wheat!
How firm he was with the spurs
and how tender with the dew!
How dazzling, he, at the fair!
How terrible with the final
darts of darkness for the bull!

But now he sleeps without end.
Already the moss and grass
open with their skilful fingers
the flower of his skull.
Already the blood comes singing,
singing through marshes and meadows,
slipping through horns stiff with cold,
vacillating soulless through the mist,
meeting with cloven feet by the thousands
like a long, sorrowful tongue,
to form a dark pool of agony
near the river Guadalquivir of the stars.
Oh white wall of Spain!
Oh black bull of sorrow!
Oh cruel blood of Ignatius!
Oh nightingale of his veins!
No.

¡Que no quiero verla!
Que no hay cáliz que la contenga,
que no hay golondrinas que se la beban,
no hay escarcha de luz que la enfríe,
no hay canto ni diluvio de azucenas,
no hay cristal que la cubra de plata.
No.
¡¡Yo no quiero verla!!

No, I don't want to see it!
There is no chalice that may hold it,
there are no swallows that may drink it,
there is no white frost that may cool it,
there is no song nor deluge of lilies,
no crystal that may plate it with silver.
No.
No, I don't want to see it!!

Los bueyes rojos
en el campo de oro.

Los bueyes tienen ritmo
de campanas antiguas.
Y ojos de pájaro.

Son para las mañanas
de niebla, y sin embargo,
horadan la naranja
del aire en el verano.

Viejos desde que nacen,
no tienen amos,
y recuerdan las alas
de sus costados.

Los bueyes
siempre van suspirando
por los campos de Ruth
en busca del vado,
y, densos, religiosos,
se tienden en el prado.
Borrachos de luceros
a rumiar sus llantos.

Los bueyes rojos
en el campo de oro.

Poemas póstumos

Red oxen
in a field of gold.

These oxen have a rhythm
like that of ancient bells.
And the eyes of a bird.

They are meant for the mornings
of mist, and notwithstanding
they perforate the orange
of the air in summertime.

Old from the time of birth,
they have no masters,
and they have remembrance
of wings at their sides.

The oxen
go sighing, always sighing
through the wheat fields of Ruth
in search of a ford,
and, grave and religious,
they stretch out in the meadow,
drunk with the light of stars,
to ruminate on their weeping.

Red oxen
in a field of gold.

EL LLANTO

He cerrado mi balcón
porque no quiero oír el llanto
pero detrás de los grises muros
no se oye otra cosa que el llanto.

Hay muy pocos ángeles que canten,
hay muy pocos perros que ladren,
mil violines caben en la palma de la mano;
pero el llanto es un ángel inmenso,
el llanto es un perro inmenso,
el llanto es un violín inmenso,
las lágrimas amordazan al viento,
y no se oye otra cosa que el llanto.

Poemas póstumos

THE WEEPING

I have closed fast my window
for I would not hear the weeping,
but from behind the grey walls
nothing is heard but the weeping.

There are few angels that sing,
and very few dogs that bark,
a thousand violins can be held in the palm of the hand;
but the weeping is a mighty angel,
the weeping is a mammoth dog,
the weeping is a vast violin,
tears stifle the voice of the wind,
and nothing is heard but the weeping.

Rafael Alberti

1   1   1

RAFAEL ALBERTI was born in 1902 in Puerto de Santa Maria, a suburb of Cadiz, and though he moved with his family to Madrid when he was fifteen, these early years at Puerto de Santa Maria on the Bay of Cadiz had great influence on all his work. In Madrid he studied painting and exhibited in 1922. Shortly afterwards, on account of his health, he went to live in the Mountains of Guadarrama y Rute, where he began writing. His first book, *Marinero en tierra*, won for him the *Premio Nacional de Literatura* and he was recognized as a poet of great talent and originality. In this and the following books he uses modern forms. Like Federico García Lorca, he wrote popular poetry, but it differs from that of Lorca in many aspects. His later work follows other directions; he is a singer of modern themes and at times he uses the subconscious approach to poetry. In 1931 he became interested in social movements and his poetry reflects that trend. He travelled in France and Germany, and spent three months in Russia. He was an enthusiastic supporter of the Spanish Republic. He is now living in Buenos Aires.

Guillermo Diaz-Plaja has said: "The work of Rafael Alberti begins in the neo-popular style with his book *Marinero en tierra*, revealing a true poet, with lyrical powers extraordinarily apt in any form of expression, a clever rhetorician and wielder of poetical resources. And with more still: Andalusian grace and abundant musical feeling; in short, one of the most outstanding poetic figures of our time . . . From 1927 on he subscribes to the tenets of the surrealists."

Pedro Salinas writes: "In *Sobre los ángeles*, without doubt his most important book, faithful to the title, Alberti has a whole choir of angels passing through its pages. Angels that in no way conform to the traditional interpretation of art; angels shadowed by sinister lights, ruled by passions and weaknesses: the bellicose angel, the enraged one, the deceitful one, the envious one, the revengeful one, the miser, the fool; angels of places: of wine cellars, of mines, of colleges; angels that share in material qualities: the ashen one, the mouldy one, the angel of coal, the angel of sand. And also the good angel and the angel *par excellence,* the angelic angel. Although the poems are short and do not aspire to any sort of grandiose effect, the final result of the book, the total effect that it makes upon the mind, reminds one of a magnificent pictorial ensemble, a vast composition in the style of Brueghel, a picture where the angelic representatives of good and of evil struggle, whether they be guileless or wrathful. Each separate poem is an independent lyric; the whole impresses us as a terrible internal drama, as one more sample of the battles which are ever hard fought by the always hostile forces within a soul."

Books of poetry published: *Marinero en tierra*, Madrid, 1925; *La amante*, Malaga, 1926; *El alba de aleli*, Santander, 1927; *Cal y canto*, Madrid, 1929; *Sobre los ángeles*, Madrid, 1929; *Consignas*, Madrid, 1933; *Un fantasma recorre Europa*, Madrid, 1933; *Verte y no verte,* Mexico, 1935 ;*Poema del Mar Caribe*, Madrid, 1935; *Poesías*, Madrid, 1935; *Poesías*, Buenos Aires, 1940; *Entre el clavel y la espada*, Buenos Aires, 1940; Pleamar (1942-1944), Buenos Aires, 1944.

El mar. La mar.
El mar. ¡Sólo la mar!

¿Por qué me trajiste, padre,
a la ciudad?

¿Por qué me desenterraste
del mar?

En sueños, la marejada
me tira del corazón.
Se lo quisiera llevar.

Padre, ¿por qué me trajiste
acá?

Marinero en tierra

PREGÓN SUBMARINO

¡Tan bien como yo estaría
en una huerta del mar,
contigo, hortelana mía!

En un carrito, tirado
por un salmón, ¡qué alegría
vender bajo el mar salado,
amor, tu mercadería!

—¡Algas frescas de la mar,
algas, algas!

Marinero en tierra

The sea, the sea,
the sea, only the sea!

Father, oh why to the city
did you drag me?

Why, oh why, did you pull me
out of the sea?

In dreams, the swell of the sea
tugs at the strings of my heart,
and away with it would flee.

Father, why did you drag me
here from the sea?   . .

STREET CRY UNDER SEA

How happy now would I be
with you, my fair young gardener,
in a garden under sea!

In a cart of cockle-shell,
drawn by a trout, oh what glee
for me, love, your wares to sell
under the salty blue sea!

—Fresh seaweed here from the sea,
seaweed, seaweed!

Pirata de mar y cielo,
si no fuí ya, lo seré.

Si no robé la aurora de los mares,
si no la robé,
ya la robaré.

Pirata de cielo y mar,
sobre un cazatorpederos,
con seis fuertes marineros,
alternos, de tres en tres.

Si no robé la aurora de los cielos,
si no la robé,
ya la robaré.

Marinero en tierra

DE GUMIEL DE HIZÁN
A GUMIEL DEL MERCADO

Debajo del chopo, amante,
debajo del chopo, no.

Al pie del álamo, sí,
del álamo blanco y verde.

Hoja blanca tú,
hoja verde yo.

La amante

Pirate of sea and sky,
if I was not, yet I shall be.

If I stole not the dawn from the seas,
if I stole it not,
yet I shall steal it.

Pirate of sky and of sea,
buccaneering on a destroyer,
of six strong seamen employer,
alternating, three and three.

If I stole not the dawn from the skies,
if I stole it not,
yet I shall steal it.

FROM GUMIEL DE HIZÁN TO GUMIEL DEL MERCADO *

Under the poplar tree, sweetheart,
under the poplar tree, no.

At the foot of the aspen I'll meet you,
to the green and white aspen go.

A green leaf am I,
you, the leaf like snow.

* These are names of two neighboring villages.

PREGÓN

¡Vendo nubes de colores:
las redondas, coloradas,
para endulzar los calores!

¡Vendo los cirros morados
y rosas, las alboradas,
los crepúsculos dorados!

¡El amarillo lucero,
cogido a la verde rama
del celeste duraznero!

Vendo la nieve, la llama,
y el canto del pregonero

El alba de alhelí

STREET CRY

I sell clouds of many colors:
dark clouds to cool heat of summers!

I sell fleecy clouds of violet,
clouds that rosy flush at dawning,
gilded clouds of evening sunset!

Buy the yellow star of morning,
plucked from green boughs still dew-wet,
the heavenly peach tree adorning!

I sell snow and flames of fire,
and the call of the street crier!

TORRE DE IZNAJAR

Prisionero en esta torre,
prisionero quedaría.

(Cuatro ventanas el viento.)

—¿Quién grita hacia el norte, amiga?
—El río, que va revuelto.

(Ya tres ventanas al viento.)

—¿Quién gime hacia el sur, amiga?
—El aire, que va sin sueño.

(Ya dos ventanas al viento.)

—¿Quién suspira al este, amiga?
—Tú mismo, que vienes muerto.

(Ya una ventana al viento.)

—¿Quién llora al oeste, amiga?
—Yo, que voy muerta a tu entierro.

¡Por nada yo en esta torre
prisionero quedaría!

El alba de alhelí

THE TOWER OF IZNAJAR

I would prisoner in this tower,
I would prisoner here remain.

(Four windows facing the wind.)

"Who groans in the north, sweet friend?"
"'Tis the storm-tossed river flowing."

(Three windows facing the wind.)

"Who moans in the south, sweet friend?"
"'Tis the wind without sleep blowing."

(Two windows facing the wind.)

"Who sighs in the east, sweet friend?"
"You yourself, dead, who come sighing."

(One window facing the wind.)

"Who weeps in the west, sweet friend?"
"I, dead, at your burial crying."

Never prisoner in this tower,
never here, would I remain!

A MISS X, ENTERRADA EN EL VIENTO
DEL OESTE

¡Ah, Miss X, Miss X: 20 años!

Blusas en las ventanas,
los peluqueros
lloran sin tu melena
—fuego rubio cortado—.

¡Ah, Miss X, Miss X sin sombrero,
alba sin colorete,
sola,
tan libre,
tú,
en el viento!

No llevabas pendientes.

Las modistas, de blanco, en los balcones,
perdidas por el cielo.
                    —¡A ver!
                        ¡Al fin!
                            ¿Qué?
                                ¡No!

                    Sólo era un pájaro,
                    no tú,
                    Miss X niña.

El barman, ¡oh qué triste!
        (Cerveza.
        Limonada.
        Whisky.
        Cocktail de ginebra.)

TO MISS X, BURIED IN THE
WEST WIND

Alas, alas, Miss X: twenty years!

Shirt-sleeves at the windows,
the hairdressers
weep, missing your locks
—red fire cut short—.

Alas, alas, Miss X hatless,
dawn without rouge,
you,
so free,
alone
in the wind!

You were wearing no earrings.

Dressmakers, in white, on balconies
gazing heavenwards.
       —Let us see!
          At last!
             What?
               No!

       It was only a bird,
       not you,
       Miss X, my girl.

The bartender, oh how sad!
    (Beer.
    Lemonade.
    Whiskey.
    Gin cocktail.)

Ha pintado de negro las botellas.
Y las banderas,
alegrías del bar,
de negro, a media asta.

¡Y el cielo sin girar tu radiograma!

Treinta barcos,
cuarenta hidroaviones
y un velero cargado de naranjas,
gritando por el mar y por las nubes.

                          Nada.
¡Ah, Miss X! ¿Adónde?

S. M. el Rey de tu país no come.
No duerme el Rey.
Fuma.
Se muere por la costa en automóvil.

Ministerios,
Bancos del oro,
Consulados,
Casinos,
Tiendas,
Parques,
cerrados

Y mientras, tú, en el viento,
—¿te aprietan los zapatos?—,
Miss X, de los mares,
—di, ¿te lastima el aire?—

He has painted the bottles black.
And the gay flags
of the bar, in token
of mourning, stand at half-mast.

And your heavenly radiogram not sent!

Thirty vessels,
forty hydroplanes
and a sailing vessel loaded with oranges,
calling through the sea and through the clouds.

                                   Nothing.
Alas, Miss X, where are you?

His Majesty, the King of your country does not eat.
The King does not sleep.
He smokes.
He agonizes along the shore in an automobile.

Cabinet offices,
Banks where gold is treasured,
Consulates,
Clubhouses,
City Shops,
and Parks,
all closed.

Whilst you, in the wind,
—do your shoes pinch you?—
Miss X, of the seas,
—tell me, does the air oppress you?—

¡Ah, Miss X, Miss X, qué fastidio!
Bostezo.
     Adiós . . .
          —Good-bye . . .

(Ya nadie piensa en ti. Las mariposas
de acero,
con las alas tronchadas,
incendiando los aires,
fijas sobre las dalias
movibles de los vientos.
Sol electrocutado.
Luna carbonizada.
Temor al oso blanco del invierno.

Veda.
Prohibida la caza
marítima, celeste,
por orden del Gobierno.

Ya nadie piensa en ti, Miss X niña.)

                       Cal y canto

Alas, alas, Miss X, what boredom!
Yawning.
              Good-bye . . .
                          —Adiós . . .

*(Nobody thinks of you any more. Butterflies
of steel,
with mutilated wings,
setting the air on fire,
settling on the unsteady
compasses of the winds.
The sun electrocuted.
The moon charred.
Fear of the white bear of winter.*

*No more hunting.
Hunting prohibited
on the sea, in the heavens,
by order of the Government.*

Nobody thinks of you any more, Miss X, my girl.)

CARTA ABIERTA

(Falta el primer pliego.)

. . . Hay peces que se bañan en la arena
y ciclistas que corren por las olas.
Yo pienso en mí. Colegio sobre el mar.
Infancia ya en balandro o bicicleta.

Globo libre, el primer balón flotaba
sobre el grito espiral de los vapores.
Roma y Cartago frente a frente iban,
marineras fugaces sus sandalias.

Nadie bebe latín a los diez años.
El Álgebra, ¡quién sabe lo que era!
La Física y la Química, ¡Dios mío,
si ya el sol se cazaba en hidroplano!

. . . Y el cine al aire libre. Ana Bolena,
no sé por qué, de azul, va por la playa.
Si el mar no la descubre, un policía
la disuelve en la flor de su linterna.

Bandoleros de smoking, a mis ojos
sus pistolas apuntan. Detenidos,
por ciudades de cielos instantáneos,
me los llevan sin alma, vista sólo.

Nueva York está en Cádiz o en el Puerto.
Sevilla está en París, Islandia o Persia.
Un chino no es un chino. Un transeúnte
puede ser blanco al par que verde y negro.

OPEN LETTER

(*The first sheet is lacking.*)

There are fish that go bathing in the sand,
and there are cyclists that ride through the waves.
I think of myself. High school by the sea.
My childhood on a sail-boat or a bicycle.

The first balloon floated, a globe detached,
high above the spiral call of the steamboats.
Carthage and Rome were going face to face,
and their sandals were fast fleeting mariners.

No one drinks Latin at ten years of age.
As for Algebra, who knows what it was!
Physics and Chemistry, good gracious, when
already the sun was hunted in seaplane!

And movies in the open air. Anne Boleyn,
in blue, I don't know why, walks on the beach.
If the sea does not find her, a policeman
dissolves her in the flower of his lantern.

Highwaymen in dinner coats point their pistols
at my eyes. And when they have been arrested,
through cities of instantaneous heavens,
they take them from me without soul, seen only.

New York is in Cadiz or in El Puerto.
Seville is in Iceland, Paris or Persia.
A Chinese is not a Chinese. One passing
may be white, at the same time black and green.

En todas partes, tú, desde tu rosa,
desde tu centro inmóvil, sin billete,
muda la lengua, riges, rey de todo . . .
Y es que el mundo es un álbum de postales.

Multiplicado, pasas en los vientos,
en la fuga del tren y los tranvías.
No en ti muere el relámpago que piensas,
sino a un millón de lunas de tus labios.

Yo nací—¡respetadme!—con el cine.
Bajo una red de cables y aviones.
Cuando abolidas fueron las carrozas
de los reyes y al auto subió el Papa.

Vi los telefonemas que llovían,
plumas de ángel azul, desde los cielos.
Las orquestas seráficas del aire
guardó el auricular en mis oídos.

De lona níquel, peces de las nubes,
bajan al mar periódicos y cartas.
(Los carteros no creen en las sirenas
ni en el vals de las olas, sí en la muerte.

Y aún hay calvas marchitas a la luna
y llorosos cabellos en los libros.
Un polisón de nieve, blanqueando
las sombras, se suicida en los jardines.

¿Qué será de mi alma que hace tiempo
bate el record continuo de la ausencia?
¿Qué de mi corazón que ya ni brinca,
picado ante el azar y el accidente?)

In all quarters, all lands, you from your rose,
from your motionless centre, without ticket,
silent your tongue, you reign king over all . . .
For the world is but an album of post-cards.

Made manifold, you sweep past in the winds,
and in the flight of the train and the trolleys.
Not in you dies the lightning that you think,
but in a million of moons of your lips.

I was born—please respect me—with the movies.
Beneath a network of cables and airplanes.
When the coaches of the kings were abandoned
and even the Pope climbed into an auto.

I saw telephone messages rain, like
feathers of a blue angel, from the skies.
The receiver kept always in my ears
the seraphic orchestras of the air.

Fish of the clouds, made of canvas and nickel,
bring down to the sea letters and newspapers.
(The postmen do not believe in the sirens,
nor in the Waltz of the Waves, but in death.

And there are still in the moonlight old, withered
bald heads, and their hairs lamenting in books.
A hoopskirt of snow, making white the shadows,
commits suicide on the grass of the gardens.

What will become of my soul that has beaten
long the continuous record of absence?
And what of my heart that no longer leaps,
soured by unforeseen chance and disaster?)

Exploradme los ojos y, perdidos,
os herirán las ansias de los náufragos,
la balumba de nortes ya difuntos,
el solo bamboleo de los mares.

Cascos de chispa y pólvora, jinetes
sin alma y sin montura entre los trigos;
basílicas de escombros, levantadas
trombas de fuego, sangre, cal, ceniza.

Pero también, un sol en cada brazo,
el alba aviadora, pez de oro,
sobre la frente un número, una letra,
y en el pico una carta azul, sin sello.

Nuncio—la voz, eléctrica, y la cola—
del aceleramiento de los astros,
del confín del amor, del estampido
de la rosa mecánica del mundo.

Sabed de mí, que dije por teléfono
mi madrigal dinámico a los hombres:
¿Quién eres tú, de acero, estaño y plomo?
—Un relámpago más, la nueva vida.

(Falta el último pliego.)

Cal y canto

Examine my eyes, and you will be hurt
by the anxieties of lost shipwrecked ones,
by the piled-up masses of norths, long dead,
and the lonely restlessness of the seas.

Horses hoofs of sparks and gunpowder, riders
without soul and without saddles among
the wheatfields; and basilicas of rubbish,
lofty whirlwinds of fire, blood, lime and ashes.

But also, with a sun beneath each arm,
the aviator dawn, a fish all golden,
on the forehead a number and a letter,
in the mouth, without stamp, a blue epistle.

Messenger—the electric voice and the tail—
envoy of the acceleration of the stars,
of the boundary of love, of the roar
of the mechanical rose of the world.

Know from me, that I spoke over the telephone
my dynamic madrigal unto men:
Who are you, of steel, of tin and of lead?
—Only one lightning flash more, the new life.

(*The last sheet is lacking.*)

EL ÁNGEL BUENO

Un año, ya dormido,
alguien que no esperaba
se paró en mi ventana.

—¡Levántate! Y mis ojos
vieron plumas y espadas.

Atrás, montes y mares,
nubes, picos y alas,
los ocasos, las albas.

—¡Mírala ahí! Su sueño,
pendiente de la nada.

—¡Oh anhelo, fijo mármol,
fija luz, fijas aguas
movibles de mi alma!

Alguien dijo: ¡Levántate!
Ye me encontré en tu estancia.

Sobre los ángeles

THE GOOD ANGEL

One year, asleep already,
someone I wasn't expecting
stopped in front of my window.

—Awake! Then to my eyes
appeared feathers and sword blades.

Behind us we left mountains
and seas, clouds, peaks and wings,
setting suns and auroras.

—See her yonder! Her dream
is suspended from nothing.

—Oh longing, oh firm marble,
steady light, steady moving
waters of my soul!

One said: Awake! And I
found myself in your dwelling.

EL ANGEL DE LOS NÚMEROS

Virgenes con escuadras
y compases, velando
las celestes pizarras.

Y el ángel de los números,
pensativo, volando
del 1 al 2, del 2
al 3, del 3 al 4.

Tizas frías y esponjas
rayaban y borraban
la luz de los espacios.

Ni sol, luna, ni estrellas,
ni el repentino verde
del rayo y el relámpago,
ni el aire. Sólo nieblas.

Virgenes sin escuadras,
sin compases, llorando.

Y en las muertas pizarras,
el ángel de los números,
sin vida, amortajado
sobre el 1 y el 2,
sobre el 3, sobre el 4 . . .

Sobre los ángeles

THE ANGEL OF NUMERALS

Virgins with T-squares
and compasses, guarding
celestial blackboards.

And the angel of numerals
pensively flying
from 1 to 2, from 2
to 3, from 3 to 4.

Dull chalk and wet sponges
erased and crossed out
the light of spaces.

Neither sun, moon, nor stars,
nor the sudden green
of the flash of lightning,
nor air. Only mist.

Virgins without squares
and compasses, weeping.

And on the blurred blackboards
the angel of numerals,
lifeless, shrouded, lying
on 1 and on 2,
on 3 and on 4.

LOS DOS ÁNGELES

Angel de luz, ardiendo,
¡oh, ven!, y con tu espada
incendia los abismos donde yace
mi subterráneo ángel de las nieblas.

¡Oh espadazo en las sombras!
Chispas múltiples,
clavándose en mi cuerpo,
en mis alas sin plumas,
en lo que nadie ve,
vida.

Me estás quemando vivo.
Vuela ya de mí, oscuro
Luzbel de las canteras sin auroras,
de los pozos sin agua,
de las simas sin sueño,
ya carbón del espíritu,
sol, luna.

Me duelen los cabellos
y las ansias. ¡Oh, quémame!
¡Más, más, sí, sí, más! ¡Quémame!

¡Quémalo, ángel de luz, custodio mío,
tú que andabas llorando por las nubes,
tú, sin mí, tú, por mí,
ángel frío de polvo, ya sin gloria,
volcado en las tinieblas!

¡Quémalo, ángel de luz,
quémame y huye!

                              Sobre los ángeles

THE TWO ANGELS

Burning angel of light,
oh come, and with your sword
kindle the abyss where lies
my subterranean angel of mists!

Oh, sword thrust in the shadows!
Myriad sparks
pricking my body,
my featherless wings,
there, where no one sees,
life.

You are burning me living.
Now fly from me, dark Lucifer
of the quarries without dawns,
of the wells without water,
of the caverns without sleep,
now coal of the spirit,
sun, moon.

The hairs of my head, and my
longings give me pain. Burn me!
More, more, yes more. Oh, burn me!

Burn him, oh angel of light, my guardian,
you who went weeping through the clouds,
you, without me, for me,
cold angel of dust, now without glory,
overturned in the darkness.

Burn him, angel of light,
burn me and flee!

EL ÁNGEL AVARO

Gentes de las esquinas
de pueblos y naciones que no están en el mapa,
comentaban.

Ese hombre está muerto
y no lo sabe.
Quiere asaltar la banca,
robar nubes, estrellas, cometas de oro,
comprar lo más difícil:
el cielo.

Y ese hombre está muerto.
Temblores subterráneos le sacuden la frente.
Tumbos de tierra desprendida,
ecos desvariados,
sones confusos de piquetas y azadas,
los oídos.
Los ojos,
luces de acetileno,
húmedas, áureas galerías.
El corazón,
explosiones de piedras, júbilos, dinamita.

Sueña con las minas.

Sobre los ángeles

THE AVARICIOUS ANGEL

People from nooks and corners
of towns and nations not marked on the map,
were making comments.

—That man is dead
and does not know it.
He wants to assault the bank,
to rob the clouds, the stars and the comets of gold,
to buy what is most difficult:
heaven.

And that man is dead.
Subterranean tremors convulse his forehead.
Avalanches of loosened earth,
roaring echoes,
confused sounds of pickaxe and spade,
his ears.
His eyes,
acetylene lights,
damp, golden galleries.
His heart,
explosions of stone, dynamite, rejoicing.

He is dreaming of mines.

TRES RECUERDOS DEL CIELO

Homenaje a Gustavo Adolfo Bécquer.

Prólogo

No habían cumplido años ni la rosa ni el arcángel.
Todo, anterior al balido y al llanto.
Cuando la luz ignoraba todavía
si el mar nacería niño o niña.
Cuando el viento soñaba melenas que peinar
y claveles el fuego que encender y mejillas
y el agua unos labios parados donde beber.
Todo, anterior al cuerpo, al nombre y al tiempo.
Entonces, yo recuerdo que, una vez, en el cielo . . .

Primer Recuerdo

. . . *una azucena tronchada* . . .
G. A. Bécquer.

Paseaba con un dejo de azucena que piensa,
casi de pájaro que sabe ha de nacer.
Mirándose sin verse a una luna que le hacía
espejo el sueño
y a un silencio de nieve, que le elevaba los pies.
A un silencio asomada.
Era anterior al arpa, a la lluvia y a las palabras.

No sabía.
Blanca alumna del aire,
temblaba con las estrellas, con la flor y los árboles.
Su tallo, su verde talle.

THREE MEMORIES OF HEAVEN

Homage to Gustavo Adolfo Bécquer.

PROLOGUE

Nor rose nor archangel had come into being.
All before there was bleating and weeping.
When light was ignorant still
if the sea would be born boy or girl.
When the wind dreamed of loose locks it might comb
and carnations of cheeks and fires to inflame
and water of lips all ready to drink.
All, before there was flesh, name or time.
Then, I remember that, once, up in heaven . . .

FIRST RECOLLECTION

> *. . . a broken lily . . .*
> G. A. Bécquer.

I was wandering, a broken lily in my hand that was thinking,
almost as a bird that knows it is to be born.
Gazing at herself, without seeing, in a moon that sleep was
        offering as a mirror,
and in a silence of snow that was bearing up her feet.
Leaning out of the silence.
For it was before the harp, rain and words existed.

She did not know.
Fair disciple of the air,
she was trembling with the stars, with the flowers and the trees.
Her stalk, her slender green form.

Con las estrellas mías
que, ignorantes de todo,
por cavar dos lagunas en sus ojos
la ahogaron en dos mares.

Y recuerdo . . .

Nada más: muerta, alejarse.

SECUNDO RECUERDO

> . . . rumor de besos y batir de alas . . .
> G. A. Bécquer.

También antes,
mucho antes de la rebelión de las sombras,
de que al mundo cayeran plumas incendiadas
y un pájaro pudiera ser muerto por un lirio.
Antes, antes que tú me preguntaras
el número y el sitio de mi cuerpo.
Mucho antes del cuerpo.
En la época del alma.
Cuando tú abriste en la frente sin corona, del cielo,
la primera dinastía del sueño.
Cuando tú, al mirarme en la nada,
inventaste la primera palabra.

Entonces, nuestro encuentro.

TERCER RECUERDO

> . . . detrás del abanico de plumas y de oro . . .
> G. A. Bécquer.

Aún los valses del cielo no habían desposado al
    jazmín y la nieve,

Trembling with my stars
that were ignorant of all,
having hollowed two lakes in her eyes
they were drowning her in two seas.

I remember . . .

Nothing more: in death she was withdrawing.

Second Recollection

> *. . . a sound of kisses and beating of wings . . .*
> G. A. Bécquer.

Before also,
long before the rebellion of shadows,
when there fell to the earth burning feathers
and a bird might be killed by a lily.
Before, even before you asked me
the number and the place of my body.
Long before there was body,
in the epoch of soul.
When you opened in the uncrowned forehead of the sky
the first dynasty of dream.
When you beholding me in nothingness,
invented the very first word.

At that time was our meeting.

Third Recollection

> *. . . behind the fan of feathers and gold . . .*
> G. A. Bécquer.

As yet the waltzes of the sky had not married the jessamine
    and the snow,

ni los aires pensado en la posible música de tus
        cabellos,
ni decretado el rey que la violeta se enterrara
        en un libro.
No.
Era la era en que la golondrina viajaba
sin nuestras iniciales en el pico.
. En que las campanillas y las enredaderas
morían sin balcones que escalar y estrellas.
La era
en que al hombro de un ave no había flor que
        apoyara la cabeza.

Entonces, detrás de tu abanico, nuestra luna primera.

                                Sobre los ángeles

and the winds had not thought of the possible music of your
          hair,
nor had the king decreed that the violet should be buried in
        a book.
No.
It was the era when the swallow travelled
without our initials in his beak.
When the bells of the morning glory and climbing vines
died without balconies to entwine and stars.
The era
in which there was no flower that might lay its head on the
          shoulder of a bird.

Then, back of your fan, rose our first moon.

EL ALBA DENOMINADORA

A embestidas suaves y rosas, la madrugada te iba poniendo
   nombres:
Sueño equivocado, Ángel sin salida, Mentira de lluvia en
   bosque.

Al lindero de mi alma que recuerda los ríos,
indecisa, dudó, inmóvil:
¿Vertida estrella, Confusa luz en llanto, Cristal sin voces?

No.
Error de nieve en agua, tu nombre.

                                         Sobre los ángeles

THE NAME-GIVING AURORA

With delicate, rosy assaults the dawn was giving you
      names:
Mistaken Dream, Hopeless Angel, Delusion of Rain in
      the Forest.

On the borders of my soul which remembers the rivers,
irresolute, she paused in doubt, motionless:
Outpoured Star, Confused Light in Tears, Voiceless Crystal?

No.
Error of Snow on Water, your name.

LOS ÁNGELES MUERTOS

Buscad, buscadlos:
en el insomnio de las cañerías olvidadas,
en los cauces interrumpidos por el silencio de las basuras.
No lejos de los charcos incapaces de guardar una nube,
unos ojos perdidos,
una sortija rota
o una estrella pisoteada.

Porque yo los he visto:
en esos escombros momentáneos que aparecen en las neblinas.
Porque yo los he tocado:
en el destierro de un ladrillo difunto,
venido a la nada desde una torre o un carro.
Nunca más allá de las chimeneas que se derrumban
ni de esas hojas tenaces que se estampan en los zapatos.

En todo esto.
Mas en esas astillas vagabundas que se consumen sin fuego,
en esas ausencias hundidas que sufren los muebles desven-
      cijados,
no a mucha distancia de los nombres y signos que se enfrían
      en las paredes.

Buscad, buscadlos:
debajo de la gota de cera que sepulta la palabra de un libro
o la firma de uno de esos rincones de cartas
que trae rodando el polvo.
Cerca del casco perdido de una botella,
de una suela extraviada en la nieve,
de una navaja de afeitar abandonada al borde de un precipicio.

Sobre los ángeles

DEAD ANGELS

Look, yes, look for them:
in the insomnia of forgotten water-pipes,
in ditches choked by the silence of refuse.
Not far from puddles too small to reflect a cloud,
or lost eyes,
a broken ring,
or a trampled star.

Because I have seen them:
in that debris which appears for a moment in the mist.
Because I have touched them:
in the banishment of a broken brick,
come to naught, fallen from a tower or a cart.
Never far from chimneys that are crumbling,
nor from those clinging leaves that imprint themselves on the
         sole of a shoe.

In all this.
But also in those scattered bits of wood that consume them-
         selves without fire,
in those collapsed absences which rickety furniture suffers,
not very far from the names and signs that grow cold on walls.

Look, yes, look for them:
under the drop of wax which buries the word in a book,
or the signature on one of those corners of letters
which blow around in the dust.
Near the broken fragments of a discarded bottle,
an old shoe lost in the snow,
and a razor thrown away on the edge of a precipice.

19

ELEGÍA A GARCILASO

(Luna 1503-1536)

> . . . antes de tiempo y casi en flor cortado.
> G. de la Vega.

Hubierais visto llorar sangre a las yedras cuando el agua más
  triste se pasó toda una noche velando a un yelmo ya
  sin alma,
a un yelmo moribundo sobre una rosa nacida en el vaho que
  duerme los espejos de los castillos
a esa hora en que los nardos más secos se acuerdan de su vida
al ver que las violetas difuntas abandonan sus cajas
y los laúdes se ahogan por arrullarse a sí mismos.
Es verdad que los fosos inventaron el sueño y los fantasmas.
Y no sé lo que mira en las almenas esa inmóvil armadura vacía.

¿Cómo hay luces que decretan tan pronto la agonía de las
  espadas
si piensan en que un lirio es vigilado por hojas que duran
  mucho más tiempo?
Vivir poco y llorando es el sino de la nieve que equivoca su ruta.

En el sur siempre es cortada casi en flor el ave fría.

Sermones y moradas

ELEGY FOR GARCILASO

*. . . before his time and almost in
the flower of his youth cut off . . .
Garcilaso de la Vega.*

You might have seen the ivy weeping blood when the saddest
water passed the night keeping guard over a soulless
helmet,
a helmet dying on a rose that was born in the vapor that brings
sleep to the castles' mirrors
at that hour when withered tube-roses are recalling their past
lives
seeing that dead violets forsake their sheaths
and lutes are silent having lulled themselves to rest.
It is true that phantoms and dream were the invention of the
castle's moat.
I do not know what it is on the battlements that watches that
empty, motionless armor.

How is it there are lights that so soon decree the agony of
swords
when they think that a lily is guarded by sword-blades that
long outlive it?
To live a short time weeping is the fate of the snow which
mistakes its way.

In the south, a bird of cold climes is always cut off almost in
the flower of its youth.

Emilio Prados

✦ ✦ ✦

EMILIO PRADOS was born in 1899 in Malaga. There he started, with Manuel Altolaguirre, the printing house and literary magazine *Litoral*. For a while he retired from literary activities, but during the Spanish Civil War he joined the group of poets on the republican side. Now he is a refugee in Mexico, where he works at the Seneca publishing house.

Ángel Valbuena Prat says of the early writings of Emilio Prados: "Subtlety, rhythm of repetitions, chiselled images illuminate these first books, which exhibit a type of composition whose structure is original with Prados . . . His later compositions, like those of Luis Cernuda and Vicente Aleixandre, reveal the passage to the solemn, infinite dimension, in a type of creation more free from formal ties, but also demanding greater depth."

Books of poetry published: *Tiempo*, Malaga, 1925; *Canciones del farero*, Malaga, 1925; *Vuelta*, Malaga, 1927; *Llanto en la Sangre*, Valencia, 1937; *Cancionero menor*, Barcelona, 1938; *Memoria del olvido* (*Cuerpo perseguido.—Formas de la huída.—Nuevos vínculos.—5 de abril. —Memoria de poesía*). Mexico, 1940; *Mínima muerte*, Mexico, 1944.

Cerré mi puerta al mundo;
se me perdió la carne por el sueño . . .
Me quedé, interno, mágico, invisible,
desnudo como un ciego.

Lleno hasta el mismo borde de los ojos,
me iluminé por dentro.

Trémulo, transparente,
me quedé sobre el viento,
igual que un vaso limpio
de agua pura,
como un ángel de vidrio
en un espejo.

Cuerpo perseguido

Mi frente está cansada como un río.
Yo pienso en ti porque soy como un cuerpo.
Tu mano me abanica lejos por la memoria.
La muerte está soñando mi piel por tu ceniza.

Yo te busco en mis párpados
igual que en un espejo;
pero el mundo ha perdido
su razón por la sangre,
y, huyendo de tu cuerpo,
sueño que te persigo . . .

Ya no sé si es que cierro los ojos
o es que estoy silencioso a tu lado.

Formas de la huída

I closed my door to the world;
I lost my flesh through dream . . .
I remained within myself, magical, invisible,
as naked as one blind.

Filled up to the brim of my eyes,
I lighted myself within.

Trembling and transparent,
I remained on the wind,
even as a clear vessel
of pure water,
like an angel of glass
in a mirror

My forehead is weary as a river.
I think of you for I am like a corpse.
Your hand fans me far off in memory.
Death is dreaming of my skin in your ashes.

I seek you in my eyelids
even as in a mirror;
but the world has lost
all its reason in blood,
and, fleeing from your body,
I dream that I follow you.

I do not know if I close my eyes
or if I am silent at your side.

ENERO DIEZ

Se está quedando la noche
sin carne, temblando viva
como un ojo.
                    ¡Qué altas vuelan
sus estrellas! ¡Qué hondas brillan
bajo los combos silencios,
dentro de la hueca linfa
del aire, que—herido espejo—,
entre sombras agoniza!
¡Qué soledad sobre el Mundo
derrama el aire en su huída!
¡Qué oscura yema de sueños
engendra con su agonía!
¡Qué alta fruta de milagros
deja en el cielo prendida
como flor de oro y de sombra
por limpios vidrios cautiva!
¡Qué lecho para el descanso
bajo su sangre nos brinda!

Se está quedando la noche
sin carne, temblando viva.

Formas de la huída

JANUARY TENTH

The night is little by little
losing flesh, trembling alive
as an eye.
How high the stars
are flying! How deeply, brightly
they shine under the curved silences
and within the hollow fluid
of the air—a wounded mirror—
that between shadows is dying!
In its flight, how the air scatters
solitude over the world!
What dusky blossoms of dream
does it bring forth in its agony!
What wondrous fruitage of miracle
it leaves caught up in the sky
like flower of gold and shadow
held captive in limpid crystal!
What a soft bed for the weary
beneath its blood we are offered!

The night is little by little
losing flesh, trembling alive.

"FORMA DE LA HUÍDA"

Si en este espejo yo hubiera
dejado, al irme, encerrado
mi cuerpo; en su luz tapiado
vivo; emplazado en sus aguas,
ahora en él, como el recuerdo
de un muerto se va cuajando
despacio en la memoria,
mi carne se iría cuajando
lenta, de nuevo en su luna,
y, en pie, desnuda, flotando,
a su orilla desde el fondo
subiría, igual que Lázaro
desde sus hondas tinieblas
subió hasta el mundo . . .

        ¡Qué blanco
lirio, mi cuerpo en su estrecha
puerta alzaría! ¡Qué alto
narcisco! ¡Qué estrella! ¡Qué
fino árbol!

        Vivo, temblando
—toda la flor de mi entraña
latiendo hecha luz—, brillando . . .
¡Qué ventana de mí mismo
me abriría en su milagro!
¡Qué estampa de fe al silencio
daría mi ejemplo claro!
No que ahora, vencido, vengo
por fuera a su luna y caigo
a ella de golpe, sin vida,

A FORM OF FLIGHT

If I had left at my going,
my body locked in this mirror,
walled up alive in its light,
imprisoned fast in its waters,
now in it, as the remembrance
of the dead slowly congeals
in the memory, even so
my flesh would be congealing
slowly, once more in its moon,
and standing up, naked, floating
to its shore, up from the depths
it would rise, even as Lazarus
arose out of utter darkness
into the world . . .
                        What a white
lily, my body at its narrow
door would arise! What a tall
Narcissus! What a star! What
a slender tree!
                        Living, trembling
—all the flower of my vitals
pulsating into light—, shining . . .
What a window of myself
would open for me in wonder!
What stamp of faith to the silence
would my clear reflection give!
Whereas now, conquered, I come
from the without to its moon
and fall in it suddenly lifeless,

lo mismo que al agua el pájaro
desde fuera cae y se hunde,
presa de su doble engaño.

Sin fe en la vista y sin rosa;
perdido el amor; parado
el sueño, vuelvo humillado . . .
¡Qué torpe fruto la ausencia
dejó mordido en mi mano!
¡Qué negro dolor de sombra
pegado a mi cuerpo traigo!

Nuevos vínculos

just as a bird from without
falls in the water and is drowned,
prey of its double deceit.

Without faith in sight, without
rose; love lost and the dream stayed,
I come back humbled and sad . . .
How ugly the fruit of absence
left bitten off in my hand!
What a black sorrow of shadow
I bear about with my body!

SUEÑO

Te llamé. Me llamaste.
Brotamos como ríos.
Alzáronse en el cielo
los nombres confundidos.

Te llamé. Me llamaste.
Brotamos como ríos.
Nuestros cuerpos, quedaron
frente a frente, vacíos.

Te llamé. Me llamaste.
Brotamos como ríos.
Entre nuestros dos cuerpos,
¡qué inolvidable abismo!

                              5 de abril

DREAM

I called you. You called me.
We gushed forth like rivers,
and there arose to heaven
our two names commingled.

I called you. You called me.
We gushed forth like rivers.
Our bodies still remained
face to face quite empty.

I called you. You called me.
We gushed forth like rivers,
but between our bodies
what unforgettable chasm!

CONSTANTE AMIGO

Aunque se rompa la caja
de mi canción, el sonido
ha de quedar siempre en pie
sobre el aire.

          Firme, entero
aunque se rompa el cantar.
Yo canto mi pensamiento
y el pensamiento no es mío
sino de quien me lo da.
Cuando mi cuerpo está vivo,
canto lo que con él veo.
Cuando mi cuerpo se vaya
quedará lo visto eterno.

Hoy con la guerra me muevo;
mañana será en la paz,
luego en la tierra deshecho.
Canto lo que voy pensando;
lo que prestado me dan
con la vida; lo que tengo
que entregar, cuando mi sangre,
marchita, se niegue a andar.

Nada tuve ni me llevo.
Cuando me llamaban vivo,
tan sólo estuve escondido
dentro de lo que poseo.

Que vuelva el barco a la mar,
que suba el pájaro al cielo
y mi voz vuelva a cantar.

                    Memoria de *poesía*

CONSTANT FRIEND

Although the sheath of my song
may be broken, yet the sound
must remain ever upright,
hovering in the air.
                    Firm
and intact, although the song
be broken. I sing my thought
and the thought is none of mine
but his who gives it to me.
While my body lives I sing
of what I can see with it.
When my body goes what I
have seen will remain eternal.

Today I move with the war;
but to-morrow with the peace,
and then dissolved in the earth.
I sing of what I am thinking,
of that which is lent to me
with my life; of that which I
must surrender, when my blood,
grown old, refuses to flow.

I had nothing, nor do I
bear away with me anything.
When they were calling me
alive, I was only hidden
within that which I possess.

Let the ship return to sea,
let the bird fly up to heaven
and let my voice once more sing.

20

CANCIÓN

Huyendo voy de la muerte,
vengo huyendo de mí mismo,
que ya la muerte y mi cuerpo
tienen un solo sentido.
Tanto a mi cuerpo le temo,
que no sé si el estar vivo
es morir y estar despierto
o muerto soñar dormido.
No sé donde acaba el nudo
que amarra mi triste sino
con la cuerda de mi sueño,
sonda de mi propio abismo.
Abismo mudo es mi alma,
centro oscuro de mi olvido
adonde el mundo va entrando
igual que en el mar los ríos.
Muerto mi cuerpo, en mi alma
vivirá el mundo cautivo.
El mundo muerto, en mi alma
se alzará mi cuerpo vivo.
Vencida tengo a la muerte,
que anduve el mismo camino:
ella lo anduvo por fuera,
yo por dentro de mí mismo.
Tanto temor padecí
como hallé por fin alivio.
Hoy no sé si vivo o muero
o en la eternidad habito.

                              Memoria de poesía

SONG

Fleeing I go from death, and
I come fleeing from myself,
because my body and death
have now only one meaning.
So much I fear for my body
that I know not if to live
is to die and be awake,
or dead, to dream while asleep.
I know not where ends the knot
that ties my sorrowful fate
fast with the cord of my dream,
plummet of my own abyss.
A mute abyss is my soul,
dark centre of my forgetfulness,
there where the world now is entering
as rivers enter the sea.
My body dead, in my soul
the world will live on a captive.
And the world dead, in my soul
my body will rise up living.
I now have overcome death,
for I travelled the same road:
death moving on the outside
and I within my own self.
I suffered from as much fear
as I found relief at last.
Now I know not if I live
or die or dwell in eternity.

INVITACIÓN A LA MUERTE

Estoy aquí. Preparado
a caminar por lo eterno
y a soportar el viaje
sin sed y sin llanto.
                    Mira
la blanca cruz di mi pecho,
signo final de la suma
de mis actos.
                    Mira el huerto
que, sobre el papel, labrado,
dejo tras mí floreciendo.
Mira el árbol de mi pluma
tendido sobre mi huerto.
Mis pensamientos te rondan
aún vivos, ya como espectros
que aguardan desde mi cerca
tu campana de silencio.
Detrás de mi cruz se alzan
los fantasmas de mis hechos,
al lado izquierdo los malos
y a la derecha los buenos,
para ahorrarle a la balanza
de tu justicia, su peso.
De tanto estar aguardando
se van cambiando en recuerdos,
y mi cruz en tu balanza
y en ti yo mismo en mi cuerpo.
Yo no sé si ya no vienes
confundida.
                    Yo te espero,

INVITATION TO DEATH

Lo, here I am all prepared
to travel through to eternity
and to endure the long journey
without thirst and without weeping.
See the white cross on my breast,
the final sign of the sum
of my acts. And see the garden
I leave blooming behind me.
See too the tree of my pen
spreading out over my garden.
My thoughts hovering around you
still living, now are become
like spectres that from my wall
await the bell of your silence.
Behind my cross there arise
the phantoms of all my deeds,
on the left side are the evil
and on the right are the good,
to spare the scales of your justice
their weighing.
So long, long have they been waiting
they are changing into memories
and my cross into your scales,
and into you I in my body.
And I know not if you now
do not come commingled.

Long

te he esperado hora tras hora
y no has llegado.
                    No temas
herirme, ya soy tu hermano,
hijo de tu propio sueño.
Yo sí que temo. Mi vida
de tanto estar en acecho
y aguardándote no es vida.
Sólo es barrera del viento
mi piel y pared mi pecho
donde vendados mis ojos
aguardan tus balas, ciegos.
Si has de venir, ven. Tus alas
sobre mis espaldas siento,
y cuando extiendo mis manos
por buscarte no te encuentro
y en lugar de tu llegada
hallo a mi hermano muriendo.
¡Qué fuentes de la hermosura
quiebras con sus tallos tiernos!
Mientras yo, inútil te aguardo,
su sangre se va perdiendo.
Cámbiate el arco.
                    Prepara
la flecha que está latiendo
en él para mí.
                    Me salvas;
me libertas . . .
                    Estoy preso.
Libre te quiero volar
si he de vivir en tu espejo.

                    Memoria de poesía

hours I have waited for you
and you have not come.
                         Fear not
to wound me, I am your brother,
son of your very own dream.
I, oh yes, I fear. My life,
for so much lying in ambush
waiting for you, is not life.
My skin is only a barrier
for the wind, my breast a wall
where my eyes bandaged await
your bullets, blind. Come then, come.
Come, if come you must. I feel
over my shoulders your wings,
and when I stretch out my hands
for you I do not find you,
and instead of your arrival
I come on my brother dying.
How many fountains of beauty
you crush with his tender stalks!
While I, useless, await you,
his life-blood is slowly ebbing.
Change aim, shift your bow.
                         Make ready
the arrow that now is quivering
in it for me.
                 You save me;
set me free . . .
                 I am a prisoner.
I would have you fly unhindered
if I must live in your mirror.

Vicente Aleixandre

↑ ↑ ↑

VICENTE ALEIXANDRE was born in Seville in 1900. Part of his childhood was passed in Malaga. He studied Law in Madrid and took a business course, starting on a commercial career. Two years later, he fell seriously ill and had to give up all idea of leading a professional life. It was then he turned to literature. He had begun writing before he was twenty, but up to that time he had never published anything. In 1926 a series of his poems appeared in a literary review, and his first book, *Ambito*, was published in 1928. In 1933 he was awarded the 'Primer Premio Nacional de Literatura' for his book, *La destrucción o el amor*, about to be published.

Pedro Salinas says of this book: "Difficult poetry, no doubt. Difficult of access, in the ways it reaches the reader but at bottom as clear and obvious in its feeling, in its original poetic essence, as good poetry of all time . . . Around the themes of love and grief, in the book of Aleixandre, move all the themes of great romantic poetry. And therefore the enigma of the world, its greatness and its mystery . . . The animal and the vegetable world, aside from giving themes for many poems in the book, constantly intermix with the thoughts and feelings of the poet, and the book acquires at moments superb glimpses of virgin forest, where ferocious beasts, overgrown plants, great twisting vines surround lost man who seeks to find himself among them, struggling with fruitless efforts .'. . Here in this pantheistic poetry, in this fervent tribute to nature in all its forms, is where the book, in contrast to the dominant feeling of destruction, reaches the purest accents of affirmative love for natural things and beings, the most burning, loving impulse of lyricism of the highest level . . . Since the publication of this book, in the gallery of Spanish poets of the twentieth century, the figure of Vicente Aleixandre must be conspicuous among those of the very first rank."

Books of poetry published: *Ámbito*, Malaga, 1928; *Espadas como labios*, Madrid, 1932; *La destrucción o el amor*, Madrid, 1935; *Pasión de la tierra*, Mexico, 1935; *Sombra del paraíso*, Madrid, 1944.

299

SIN LUZ

El pez espada, cuyo cansancio se atribuye ante todo
    a la imposibilidad de horadar a la sombra,
de sentire en su carne la frialdad del fondo de los
    mares donde el negror no ama,
donde faltan aquellas frescas algas amarillas
que el sol dora en las primeras aguas.

La tristeza gemebunda de ese inmóvil pez espada cuyo
    ojo no gira,
cuya fijeza quieta lastima su pupila,
cuya lágrima resbala entre las aguas mismas
sin que en ellas se note su amarillo tristísimo.

El fondo de ese mar donde el inmóvil pez respira con
    sus branquias un barro,
ese agua como un aire,
ese polvillo fino
que se alborota mintiendo la fantasía de un sueño,
que se aplaca monótono cubriendo el lecho quieto
donde gravita el monte altísimo, cuyas crestas se
    agitan
como pechacho—sí—de un sueño oscuro.

Arriba las espumas, cabelleras difusas,
ignoran los profundos pies de fango,
esa imposibilidad de desarraigarse del abismo,
de alzarse con unas alas verdes sobre lo seco abisal
y escaparse ligero sin miedo al sol ardiente.

Las blancas cabelleras, las juveniles dichas,
pugnan hirvientes, pobladas por los peces

WITHOUT LIGHT

The sword-fish whose weariness is imputed above all
    to the impossibility of piercing the shade,
of feeling in his flesh the coldness of the depths of
    the sea where the darkness does not love,
where there are none of those fresh yellow seaweeds
that the sun turns to gold in the surface waters.

The moaning sorrow of that motionless sword-fish
    whose eye does not turn,
whose quiet stillness works harm to his eyes,
whose tears slip into the very waters
without their most sad yellowness being observed.

The depths of the sea where the motionless fish with
    his gills breathes mire,
that water like air,
that fine dust
which becomes agitated pretending the fantasy of a dream,
which becomes calm monotonously covering the quiet bed
where heavily rests the very high mountain whose
    crests tremble
like the dreadful breast—yes—of an obscure dream.

Above the foaming waves, loosened tresses,
do not know the deep sediment of slime,
that impossibility of uprooting themselves from the abyss,
of rising with green wings above the dull chasm
and escaping lightly without fear to the burning sun.

The white tresses, the juvenile joys,
inhabited by fish—by that growing life

—*por la creciente vida que ahora empieza—,*
por elevar su voz al aire joven,
donde un sol fulgurante
hace plata el amor y oro los abrazos,
las pieles conjugadas,
ese unirse los pechos como las fortelezas que se
     aplacan fundiéndose.

Pero el fondo palpita como un solo pez abandonado.
De nada sirve que una frente gozosa
se incruste en el azul como un sol que se da,
como amor que visita a humanas criaturas.

De nada sirve que un mar inmenso entero
sienta sus peces entre espumas como si fueran pájaros.

El calor que le roba el quieto fondo opaco,
la base inconmovible de la milenaria columna
que aplasta un ala de ruiseñor ahogado,
un pico que cantaba la evasión del amor,
gozoso entre unas plumas templadas a un sol nuevo.

Ese profundo oscuro donde no existe el llanto,
donde un ojo no gira en su cuévano seco,
pez espada que no puede horadar a la sombra,
donde aplacado el limo no imita un sueño agotado.

                                  La destrucción o el amor

that now begins—seethingly struggle
to raise their voices in the young air,
where a shining sun
turns love to silver and embraces to gold,
the meeting skins,
that uniting of breasts like fortresses that make peace
    by merging.

But the depths palpitate like a lone forsaken fish.
It serves not at all that a joyful countenance
may encase itself in azure like a sun that surrenders,
like the love that visits our human breasts.

It serves not at all that a whole immense sea
may feel its fish amidst foam as if they were birds.

The heat that robs him of the calm opaque depths,
the immovable base of the centuries-old column
that crushes a wing of the drowned nightingale,
a bird that was singing the escape of love,
happily amidst feathers tempered by a new sun.

That profound darkness where there is no weeping,
where an eye does not turn in its dry socket,
sword-fish that cannot pierce the shade,
where the mire appeased does not imitate an exhausted
    dream.

VEN SIEMPRE, VEN

No te acerques. Tu frente, tu ardiente frente, tu encendida
    frente,
las huellas de unos besos,
ese resplandor que aun de día se siente si te acercas,
ese resplandor contagioso que me queda en las manos,
ese río luminoso en que hundo mis brazos,
en el que casi no me atrevo a beber, por temor después a ya
    una dura vida de lucero.

No quiero que vivas en mí como vive la luz,
con ese ya aislamiento de estrella que se une con su luz,
a quien el amor se niega a través del espacio
duro y azul que separa y no une,
donde cada lucero inaccesible
es una soledad que, gemebunda, envía su tristeza.

La soledad destella en el mundo sin amor.
La vida es una vívida corteza,
una rugosa piel inmóvil
donde el hombre no puede encontrar su descanso,
por más que aplique su sueño contra un astro apagado.

Pero tú no te acerques. Tu frente destellante, carbón encendido
    que me arrebata a la propia conciencia,
duelo fulgúreo en que de pronto siento la tentación de morir,
de quemarme los labios con tu roce indeleble,
de sentir mi carne deshacerse contra tu diamante abrasador.

No te acerques, porque tu beso se prolonga como el choque
    imposible de las estrellas,

COME ALWAYS, COME

Do not draw near. Your forehead, your passionate burning
    brow,
the traces of kisses,
that radiance that even by day is felt if you draw near,
that contagious radiance that is left in my hands,
that luminous river in which I plunge my arms,
of which I scarce dare drink, for fear afterwards of the cruel
    life of brightness.

I would not have you live in me as lives the light,
with that isolation of a star that unites with its light,
to whom love is denied across the cruel blue space
which separates and does not unite,
where each inaccessible star
is a solitude that, groaning, sends forth its sadness.

Solitude sparkles in the world without love.
Life is a brilliant bark,
a rough immovable skin
where man cannot find his repose,
however he may apply his dream against a spent star.

But do not draw near. Your sparkling forehead, a glowing coal
        that snatches me from my own conscience,
flashing sorrow in which suddenly I feel the temptation to die,
to scorch my lips with your ineffaceable friction,
to feel my flesh consume itself against your burning diamond.

Do not draw near, because your kiss is prolonged like the
    impossible clash of the stars,

como el espacio que súbitamente se incendia,
éter propagador donde la destrucción de los mundos
es un único corazón que totalmente se abrasa.

Ven, ven, ven como el carbón extinto oscuro que encierra una
    muerte;
ven como la noche ciega que me acerca su rostro;
ven como los dos labios marcados por el rojo, por esa línea larga
    que funde los metales.

Ven, ven, amor mío; ven, hermética frente, redondez casi
    rodante
que luces como una órbita que va a morir en mis brazos;
ven como dos ojos o dos profundas soledades,
dos imperiosas llamadas de una hondura que no conozco.

¡Ven, ven, muerte, amor; ven pronto, te destruyo;
ven, que quiero matar o amar o morir o darte todo;
ven, que ruedas como liviana piedra,
confundida como una luna que me pide mis rayos!

                               La destrucción o el amor

like space that suddenly breaks into flame,
generating ether where the destruction of worlds
is a single heart that consumes itself wholly.

Come, come, come like the burnt-out coal that imprisons
    death;
come like the blind night that brings your face near me;
come like two lips marked with red, by that long line that fuses
    metals.

Come, come, my love; come sealèd brow, roundness almost
    revolving
that glows like an orb that is going to die in my arms;
come like two eyes or two deep solitudes,
two imperious calls from a depth unknown to me.

Come, come, death, love; come quickly, I destroy you;
come, for I would kill or love or die or give you all;
come, for you roll like a fickle stone,
bewildered as a moon that asks of me my rays!

VEN, VEN TÚ

Allá donde el mar no golpea,
donde la tristeza sacude su melena de vidrio,
donde el aliento suavemente espirado
no es mariposa de metal, sino un aire.

Un aire blando y suave
donde las palabras se murmuran como a un oído.
Donde resuenan unas débiles plumas
que en la oreja rosada son el amor que insiste.

¿Quién me quiere? ¿Quién dice que el amor es un hacha
    doblada,
un cansancio que parte por la cintura el cuerpo,
un arco doloroso por donde pasa la luz
ligeramente sin tocar nunca a nadie?

Los árboles del bosque cantan como si fueran aves.
Un brazo inmenso abarca la selva como una cintura.
Un pájaro dorado por la luz que no acaba
busca siempre unos labios por donde huir de su cárcel.

Pero el mar no golpea como un corazón,
ni el vidrio o cabellera de una lejana piedra
hace más que asumir todo el brillo del sol sin devolverlo.
Ni los peces innumerables que pueblan otros cielos
son más que las lentísimas aguas de una pupila remota.

Entonces este bosque, esta mota de sangre,
este pájaro que se escapa de un pecho,
este aliento que sale de unos labios entreabiertos,
esta pareja de mariposas que en algún punto va a amarse . . .

COME, COME THOU

There where the sea does not pulsate,
where sorrow shakes its mane of glass,
where the breath gently exhaled
is not a butterfly of metal, but an air.

A soft gentle air
where words murmur as at an ear.
Where echo a few feeble feathers
that in the rosy ear are the love that insists.

Who loves me? Who says that love is a strong axe,
a weariness that cleaves the body through the centre,
a sorrowful arch through which passes the light
lightly without ever touching anyone?

The trees of the forest sing as if they were birds.
An immense arm encircles the wood as if it were a body.
A bird made golden by the lingering light
seeks ever for lips through which to escape from his prison.

But the sea does not beat as does a heart,
neither do the glass, nor the tresses of a far off stone
do more than attract all the brightness of the sun without
    giving it forth.
nor are the numberless fish that live in other heavens
more than the slowest waters of a distant eye.

Then this forest, this drop of blood,
this bird that escapes from the breast,
this breath that exhales from half open lips,
this pair of butterflies that at any point are going to make
    love . . .

Este oreja que próxima escucha mis palabras,
esta carne que amo con mis besos de aire,
este cuerpo que estrecho como si fuera un nombre,
esta lluvia que cae sobre mi cuerpo extenso,
este frescor de un cielo en el que unos dientes sonríen,
en el que unos brazos se alargan, en que un sol amanece,
en que una música total canta invadiéndolo todo,
mientras el cartón, las cuerdas, las falsas telas,
la dolorosa arpillera, el mundo rechazado,
se retira como un mar que muge sin destino.

La destrucción o el amor

This near-by ear that listens to my words,
this flesh that I caress with my lips of air,
this body that I clasp as if it were a name,
this rain that falls on my stretched out body,
this freshness of heaven in which some teeth are smiling,
where arms stretch out, where a sun is rising,
where a universal music sings invading all,
whilst the cardboard, the cords, the false fabrics,
the sad sackcloth, the rejected world,
draws back as a sea that roars without destiny.

QUIERO SABER

Dime pronto el secreto de tu existencia;
quiero saber por qué la piedra no es pluma,
ni el corazón un árbol delicado,
ni por qué esa niña que muere entre dos venas ríos
no se va hacia la mar como todos los buques.

Quiero saber si el corazón es una lluvia o margen,
lo que se queda a un lado cuando dos se sonríen,
o es sólo la frontera entre dos manos nuevas
que estrechan una piel caliente que no separa.

Flor, risco o duda, o sed o sol o látigo:
el mundo todo es uno, la ribera y el párpado,
ese amarillo pájaro que duerme entre dos labios
cuando el alba penetra con esfuerzo en el día.

Quiero saber si un puente es hierro o es anhelo,
esa dificultad de unir dos carnes íntimas,
esa separación de los pechos tocados
por una flecha nueva surtida entre lo verde.

Musgo o luna es lo mismo, lo que a nadie sorprende,
esa caricia lenta que de noche a los cuerpos
recorre como pluma o labios que ahora llueven.

Quiero saber si el río se aleja de sí mismo
estrechando unas formas en silencio,
catarata de cuerpos que se aman como espuma,
hasta dar en la mar como el placer cedido.

I WOULD KNOW

Tell me quickly the secret of your existence;
I would know why the stone is not a feather,
nor the heart a delicate tree,
or why that little girl who is dying between two river veins
does not sail towards the sea like all ships.

I would know if the heart is a rain or a margin,
that which remains at one side when two smile at each other,
or is it only the frontier between two young hands
that press a warm skin that does not divide.

Flower, crag or doubt, or thirst or sun or whip:
the whole world is one, the shore and the eyelid,
that yellow bird that sleeps between two lips
when the dawn penetrates with effort into the day.

I would know if a bridge is iron or is longing,
that problem of uniting two intimate bodies,
that separation of two breasts pierced
by an arrow newly sprung from out the green.

Moss or moon is the same, that which surprises no one,
that slow caress which at night passes over bodies
like down or lips that now rain.

I would know if the river recedes from itself
pressing some forms in silence,
a waterfall of bodies that love as the foam,
until it reaches the ocean like pleasure surrendered.

Los gritos son estacas de silbo, son lo hincado,
desesperación viva de ver los brazos cortos
alzados hacia el cielo en súplicas de lunas,
cabezas doloridas que arriba duermen, bogan,
sin respirar aún como láminas turbias.

Quiero saber si la noche ve abajo
cuerpos blancos de tela echados sobre tierra,
rocas falsas, cartones, hilos, piel, agua quieta,
pájaros como láminas aplicadas al suelo,
o rumores de hierro, bosque virgen al hombre.

Quiero saber altura, mar vago o infinito;
si el mar es oculta duda que me embriaga
cuando el viento traspone crespones transparentes,
sombra, pesos, marfiles, tormentas alargadas,
lo morado cautivo que más allá invisible
se debate, o jauría de dulces asechanzas.

La destrucción o el amor

The cries are stakes of whistling, they are the driven,
living desperation to see the too short arms
reaching towards heaven in quest of moons,
aching heads that sleep above, that row
without even breathing like indistinct pictures.

I would know if the night sees below
white bodies of cloth thrown over the ground,
false rocks, pasteboard, threads, skin, quiet water,
birds like pictures applied to the soil,
or sounds of iron, forest virgin to man.

I would know altitude, ocean vague or infinite;
if the ocean is that hidden doubt that intoxicates me
when the wind passes through transparent crapes,
shadow, weights, ivories, prolonged tempests,
the purple captive that struggles far beyond
invisible, or the hounds of gentle stratagems.

LA LUZ

El mar, la tierra, el cielo, el fuego, el viento,
el mundo permanente en que vivimos,
los astros remotísimos que casi nos suplican,
que casi a veces son una mano que acaricia los ojos.

Esa llegada de la luz que descansa en la frente.
¿De dónde llegas, de dónde vienes, amorosa forma que siento
    respirar,
que siento como un pecho que encerrara una música,
que siento como el rumor de unas arpas angélicas,
ya casi cristalinas como el rumor de los mundos?

¿De dónde vienes, celeste túnica que con forma de rayo
    luminoso
acaricias una frente que vive y sufre, que ama como lo vivo?;
¿de dónde tú, que tan pronto pareces el recuerdo de un fuego
    ardiente como el hierro que señala,
como te aplacas sobre la cansada existencia de una cabeza que
    te comprende?

Tu roce sin gemido, tu sonriente llegada como unos labios de
    arriba,
el murmurar de tu secreto en el oído que espera,
lastima o hace soñar como la pronunciación de un nombre
que sólo pueden decir unos labios que brillan.

Contemplando ahora mismo estos tiernos animalitos que giran
    por tierra alrededor,
bañados por tu presencia o escala silenciosa,
revelados a su existencia, guardados por la mudez
en la que sólo se oye el batir de las sangres.

LIGHT

The sea, the earth, the sky, fire and wind,
the permanent world in which we live,
the most remote stars that almost call upon us for pity,
that are almost at times a caressing hand laid on our eyes.

That coming of the light that rests on our foreheads.
Whence come you, whence come you, belovèd form that I feel
    breathing,
that seems like a breast that might enshrine music,
that seems like the sounding of angelic harps,
now almost crystalline clear like the murmur of worlds?

Whence come you, heavenly vesture that in the form of a
    luminous ray
caresses a forehead that lives and suffers, that loves like the
    living?
From whence, you, that so soon seem the memory of a fire
    burning as the hot iron that brands,
as you calm yourself over the weary existence of a being that
    understands you?

Your light touch without lamentation, your smiling arrival like
    lips from above,
the whisper of your secret into ears that are waiting,
wakes pity or dreams like the utterance of a name
that only luminous lips can speak.

Contemplating just now these tiny delicate animals that revolve
    round the earth,
bathed by your presence or silent ladder,
revealed to their existence, guarded by silence
in which alone is heard the pulsing of blood.

Mirando esta nuestra propia piel, nuestro cuerpo visible
porque tú lo revelas, luz que ignoro quién te envía,
luz que llegas todavía como dicha por unos labios,
con la forma de unos dientes o de un beso suplicado,
con todavía el calor de una piel que nos ama.

Dime, dime quién es, quién me llama, quién me dice, quién
     clama,
dime qué es este envío remotísimo que suplica,
qué llanto a veces escucho cuando eres sólo una lágrima.
Oh, tú celeste luz temblorosa o deseo,
fervorosa esperanza de un pecho que no se extingue,
de un pecho que se lamenta como dos brazos largos
capaces de enlazar una cintura en la tierra.

¡Ay amorosa cadencia de los mundos remotos,
de los amantes que nunca dicen sus sufrimientos,
de los cuerpos que existen, de las almas que existen,
de los cielos infinitos que nos llegan con su silencio!

La destrucción o el amor

Gazing at our own skin, our body visible
because you reveal it, light that I know not who has sent,
light that arrives still as spoken by lips,
with the form of teeth or an asked-for kiss,
with the warmth still of a body that loves us.

Tell me, tell me who is it that calls me, who speaks to me, who
    cries out,
tell me what is this most remote message that pleads,
what weeping at times I hear when you are naught but a tear.
Oh, you heavenly tremulous light or desire,
fervent hope of a breast that does not surrender,
of a breast that grieves like two long arms
able to encircle a waist on the earth.

Ah, gentle rhythm of distant worlds,
of lovers who never speak of their sufferings,
of bodies that exist, of souls that are,
of infinite heavens that reach us with their silence!

CANCIÓN A UNA MUCHACHA MUERTA

Dime, dime el secreto de tu corazón virgen,
dime el secreto de tu cuerpo bajo la tierra,
quiero saber por qué ahora eres un agua,
esas orillas frescas donde unos pies desnudos se
    bañan con espuma.

Dime por qué sobre tu pelo suelto,
sobre tu dulce hierba acariciada,
cae, resbala, acaricia, se va
un sol ardiente o reposado que te toca
como un viento que lleva sólo un pájaro o mano.

Dime por qué tu corazón como una selva diminuta
espera bajo tierra los imposibles pájaros,
esa canción total que por encima de los ojos
hacen los sueños cuando pasan sin ruido.

Oh tú, canción que a un cuerpo muerto o vivo,
que a un ser hermoso que bajo el suelo duerme,
cantas color de piedra, color de beso o labio,
cantas como si el nácar durmiera o respirara.

Esa cintura, ese débil volumen de un pecho triste,
ese rizo voluble que ignora el viento,
esos ojos por donde sólo boga el silencio,
esos dientes que son de marfil resguardado,
ese aire que no mueve unas hojas no verdes . . .

¡Oh tú, cielo riente que pasas como nube;
oh pájaro feliz que sobre un hombro ríes;
fuente que, chorro fresco, te enredas con la luna;
césped blando que pisan unos pies adorados!

                      La destrucción o el amor

SONG TO A DEAD GIRL

Tell me, tell me the secret of your virgin heart,
tell me the secret of your body beneath the earth,
I would know why you now are water,
those cool shores where bare feet bathe in foam.

Tell me why over your loosened hair,
over your fresh cherished grass,
falls, glides, caresses and departs
a fiery or peaceful sun that touches you
as a wind that bears only a bird or a hand.

Tell me why your heart like a diminutive forest
awaits under the earth the impossible birds,
that universal song that dreams make regardless
of the eyes when they pass without sound.

Oh song, you that to a creature alive or dead,
to a beautiful being that sleeps 'neath the soil,
do sing color of stone, color of kisses or lips,
you do sing as if mother-of-pearl were sleeping or breathing.

That fragile waist, that slight volume of a sorrowful breast,
that fickle, fluttering ringlet that knows no wind,
those eyes where only silence sails,
those teeth that are made of well-kept ivory,
that air that does not stir leaves that are not green . . .

Oh you, smiling sky that passes as a cloud;
oh happy bird that over a shoulder are laughing;
fountain, cool jet entangled with the moon;
tender turf that adored feet tread upon!

EL ESCARABAJO

He aquí que por fin llega al verbo también el pequeño
    escarabajo,
tristísimo minuto,
lento rodar del día miserable,
diminuto captor de lo que nunca puede aspirar al vuelo.

Un día como alguno
se detiene la vida al borde de la arena,
como las hierbecillas sueltas que flotan en un agua no limpia,
donde a merced de la tierra
briznas que no suspiran se abandonan
a ese minuto en que el amor afluye.

El amor como un número
tan pronto es agua que sale de una boca tirada,
como es el secreto de lo verde en el oído que lo oprime,
como es la cuneta pasiva que todo lo contiene,
hasta el odio que afloja para convertirse en el sueño.

Por eso,
cuando en la mitad del camino un triste escarabajo que fué
    de oro
siente próximo el cielo como una inmensa bola
y, sin embargo, con sus patitas nunca pétalos
arrastra la memoria opaca con amor,
con amor al sollozo sobre lo que fué y ya no es,
arriba entre las flores altas cuyos estambres casi cosquillean el
    limpio azul
vaga un aroma a anteayer,
a flores derribadas,

THE BEETLE

Lo at last the poor little beetle also attains to the word,
most sorrowful moment,
slow revolving of the unhappy day,
tiny capturer of that which can never aspire to flight.

A day like any other
stays life on the edge of the sand,
like the little loose plants that float on stagnant water,
where thanks to the land
filaments that do not breathe yield themselves up
to that moment in which love flows.

Love like a number
can be water that spouts from a stretched mouth,
as well as the secret of the green to the ear that presses it,
or the passive ditch that contains all,
even the hate that relents to change itself into a dream.

And therefore,
when midway on the road a sad little beetle that was made of
    gold
feels heaven near like a colossal ball
and, nevertheless, with his tiny legs never petals
drags his memory dull with love,
with love for the sobbing over that which was and now is no
    longer,
above among the tall flowers whose stamens almost tickle the
    clear blue
floats an aroma of the day before yesterday,
of wilted flowers,

a ese polen pisado que tiñe de amarillo constante la planta
    pasajera,
la caricia involuntaria,
ese pie que fué rosa, que fué espina,
que fué corola o dulce contacto de las flores.

Un viento arriba orea
otras memorias donde circula el viento,
donde estambres emergen tan altos, donde pistilos o cabellos,
donde tallos vacilan
por recibir el sol tan amarillo envío de un amor.

El suave escarabajo,
más negro que el silencio que transcurre después de alguna
    muerte,
pasa borrando apenas las huellas de los carros,
de los hierros violentos que fueron dientes siempre,
que fueron boca para morder el polvo.

El dulce escarabajo bajo su duro caparazón que imita a veces
    algún ala,
nunca pretende ser confundido con una mariposa,
pero su sangre gime
(caliente término de la memoria muerta)
encerrada en un pecho con no forma de olvido,
descendiendo a unos brazos que un diminuto mundo oscuro
    crean.

                                    La destrucción o el amor

of that trampled pollen that tinges with lasting yellow the
     passing plant,
the involuntary caress,
that stem that was a rose, that was a thorn,
that was a corolla or the gentle touch of flowers.

A wind above blows about
other memories where the air circulates,
where tall stamens emerge, where pistils or filaments
and stalks sway to and fro,
such a yellow message of love to welcome the sun.

The gentle beetle,
more black than the silence that elapses after a death,
passes by scarcely blurring the tracks of the cart wheels,
the violent irons that were always teeth,
that were a mouth to bite the dust.

The soft beetle beneath his hard shell that at times imitates
     wings,
never aspires to be mistaken for a butterfly,
but his blood groans
(warm goal of a dead memory)
enclosed in a breast with no form of forgetfulness,
descending to legs that create a diminutive dark world.

LAS ÁGUILAS

El mundo encierra la verdad de la vida,
aunque la sangre mienta melancólicamente
cuando como mar sereno en la tarde
siente arriba el batir de las águilas libres.

Las plumas de metal,
las garras poderosas,
ese afán del amor o la muerte,
ese deseo de beber en los ojos con un pico de hierro,
de poder al fin besar lo exterior de la tierra,
vuela como el deseo,
como las nubes que a nada se oponen,
como el azul radiante, corazón ya de afuera
en que la libertad se ha abierto para el mundo.

Las águilas serenas
no serán nunca esquifes,
no serán sueño o pájaro,
no serán caja donde olvidar lo triste,
donde tener guardado esmeraldas u ópalos.

El sol que cuaja en las pupilas,
que a las pupilas mira libremente,
es ave inmarcesible, vencedor de los pechos
donde hundir su furor contra un cuerpo amarrado.

Las violentas alas
que azotan rostros como eclipses,
que parten venas de zafiro muerto,
que seccionan la sangre coagulada,

EAGLES

The world imprisons the truth of life,
although the blood sadly deceives
when like the calm sea of the afternoon
it feels above the beating of free eagles.

The feathers of metal,
the powerful talons,
that eagerness for love or death,
that desire to drink from the eyes with beak of iron,
to be able at last to kiss the outside of the earth,
flies like desire,
like the clouds that hinder nothing,
like the radiant blue, heart of the open air
in which liberty has expanded for the world.

Calm eagles
will never be little skiffs,
will not be a dream or a bird,
will not be a casket where to hide sadness,
where to keep emeralds or opals

The sun that curdles in the eyes,
that looks freely into the pupils,
is an unfading bird, conqueror of breasts
where to plunge its fury against a moored body.

Violent wings
that strike faces like eclipses,
that sever veins of dead sapphire,
that dissect coagulated blood,

rompen el viento en mil pedazos,
mármol o espacio impenetrable
donde una mano muerta detenida
es el claror que en la noche fulgura.

Aguilas como abismos,
como montes altísimos,
derriban majestades, troncos polvorientos,
esa verde hiedra que en los muslos
finge la lengua vegetal casi viva.

Se aproxima el momento en que la dicha consista
en devestir de piel a los cuerpos humanos,
en que el celeste ojo victorioso
vea sólo a la tierra como sangre que gira.

Aguilas de metal sonorísimo,
arpas furiosas con su voz casi humana,
cantan la ira de amar los corazones,
amarlos con las garras estrujando su muerte.

                                   La destrucción o el amor

break the wind in a thousand pieces,
marble or impenetrable space
where an arrested dead hand
is the radiance that shines in the night.

Eagles like abysses,
like highest mountains,
overthrow dignities, dusty trunks,
that green ivy which on the thighs
feigns to be the vegetal tongue almost living.

The moment draws near when happiness may consist
in denuding human bodies of their skin,
when the victorious heavenly eye
may see the earth only as blood that circulates.

Eagles of metal most sounding,
furious harps with voice almost human,
sing of the wrath of hearts loving,
loving them with talons crushing them to death.

TOTAL AMOR

No.
La cristalina luz que hiere el fuego,
que deshace la frente como un diamante al fin rendido,
como un cuerpo que se amontona de dicha,
que se deshace como un resplandor que nunca será frío.

La luz que amontona su cuerpo como el ansia que con nada se
    aplaca,
como el corazón combatiente que en el mismo filo aún ataca,
que pide no ser ya él ni su reflejo, sino el río feliz,
lo que transcurre sin la memoria azul,
camino de los mares que entre todos se funden
y son lo amado y lo que ama, y lo que goza y sufre.

Esa dicha creciente que consiste en extender los brazos,
en tocar los límites del mundo como orillas remotas
de donde nunca se retiran las aguas,
jugando con las arenas doradas como dedos
que rozan carne o seda, lo que estremeciéndose se alborota.

Gozar de las lejanas luces que crepitan
en los desnudos brazos,
como un remoto rumor de dientes jóvenes
que devoran la grama jubilosa del día,
lo naciente que enseña su rosada firmeza
donde las aguas mojan todo un cielo vivido.

TOTAL LOVE

No.
The crystalline light that wounds the fire,
that effaces the forehead like a diamond spent at last,
like a body that towers with happiness
and vanishes like a radiance that never will be cold.

The light that gathers volume like the longing that with
    nothing is appeased,
like the contentious heart that on the same edge keeps attacking,
that asks not to be itself, nor its reflection but the happy river,
that which flows without the blue memory,
towards the seas that melt into each other
and are the loved and the loving, the same that enjoys and
    suffers.

That growing happiness that consists in stretching out the arms,
in touching the confines of the world as distant shores
from whence the waters never subside,
playing with the golden sands like fingers
that stroke flesh or silk, that which tremblingly becomes
    agitated.

To enjoy the distant lights that crackle
in the bare branches,
like a far off sound of young teeth
that devour the gay creeping grass of the day,
the east that shows its rosy strength
where the waters moisten a whole sky that has lived.

Vivir allá en las faldas de las montañas
donde el mar se confunde con lo escarpado,
donde las laderas verdes tan pronto son el agua
como son la mejilla inmensa donde se reflejan los soles,
donde el mundo encuentra un eco entre su música,
espejo donde el más mínimo pájaro no se escapa,
donde se refleja la dicha de la perfecta creación que transcurre.

El amor como lo que rueda,
como el universo sereno,
como la mente excelsa,
el corazón conjugado, la sangre que circula,
el luminoso destello que en la noche crepita
y pasa por la lengua oscura, que ahora entiende.

                                        La destrucción o el amor

To live there on the slopes of the mountains
where the sea melts into the steep cliffs,
where the green hillsides are the water as well as
the immense cheek where the sun's rays are reflected,
where the world meets an echo amidst its music,
a mirror from which the most minute bird does not escape,
where is reflected the happiness of the perfect creation that
    flows past.

Love like that which revolves,
like the calm universe,
like the sublime mind,
the mating heart, the circulating blood,
the luminous scientillation that sparkles in the night
and passes along the dark tongue, that now understands.

LA MUERTE

¡Ah! eres tú, eres tú, eterno nombre sin fecha,
bravía lucha del mar con la sed,
cantil todo de agua que amenazas hundirte
sobre mi forma lisa, lámina sin recuerdo.

Eres tú, sombra del mar poderoso,
genial rencor verde donde todos los peces son como
     piedras por el aire,
abatimiento o pesadumbre que amenazas mi vida
como un amor que con la muerte acaba.

Mátame si tú quieres, mar de plomo impiadoso,
gota inmensa que contiene la tierra,
fuego destructor de mi vida sin numen
aquí en la playa donde la luz se arrastra.

Mátame como si un puñal, un sol dorado o lúcido,
una mirada buida de un inviolable ojo,
un brazo prepotente en que la desnudez fuese el frío,
un relámpago que buscase mi pecho o su destino . . .

¡Ah, pronto, pronto; quiero morir frente a tí, mar,
frente a tí, mar vertical cuyas espumas tocan los cielos,
a ti cuyos celestes peces entre nubes
son como pájaros olvidados del hondo!

Vengan a mí tus espumas rompientes, cristalinas,
vengan los brazos verdes desplomándose,
vengan la asfixia cuando el cuerpo se crispa
sumido bajo labios negros que se derrumban.

DEATH

Ah, it is you, it is you, eternal name without date,
wild struggle of the sea with thirst,
steep rock all of water that threatens to crumble
over my flat form, a surface without remembrance.

It is you, shade of the powerful sea,
genial green grudge where all the fish are like stones in the
    air,
depression or affliction that threatens my life
like a love that ends with death.

Kill me if you will, sea of merciless lead,
mighty drop that holds the earth,
destructive fire of my life without inspiration
here on the beach where the light is creeping.

Kill me as if with a dagger, a golden or shining sun,
a sharp glance from an inviolable eye,
a most powerful arm whose nakedness might be the cold,
a lightning flash that might seek my breast or its destiny . . .

Ah, soon, soon; I would die facing you, sea,
facing you, vertical sea whose foam touches the sky,
you, whose heavenly fish among the clouds
are like forgotten birds of the depths!

Let them come to me, your crystalline foaming waves,
let the green arms come toppling over,
let suffocation come when the body contracts
overcome beneath the black lips that collapse.

Luzca el morado sol sobre la muerte uniforme.
Venga la muerte total en la playa que sostengo,
en esta terrena playa que en mi pecho gravita,
por la que unos pies ligeros parece que se escapan.

Quiero el color rosa o la vida,
quiero el rojo o su amarillo frenético,
quiero ese túnel donde el color se disuelve
en el negro falaz con que la muerte ríe en la boca.

Quiero besar el marfil de la mudez penúltima,
cuando el mar se retira apresurándose,
cuando sobre la arena quedan sólo unas conchas,
unas frías escamas de unos peces amándose.

Muerte como el puñado de arena,
como el agua que en el hoyo queda solitaria,
como la gaviota que en medio de la noche
tiene un color de sangre sobre el mar que no existe.

                            La destrucción o el amor

May the purple sun shine on uniform death.
May total death come on the beach that I uphold,
on this earthly beach that rests on my breast
by which it seems that light feet are escaping.

I like rose color or life,
I like red or its frantic yellow,
I like that tunnel where color dissolves
into the treacherous black which is the laugh on the lips of
    death.

I would kiss the ivory of the penultimate silence,
when the sea in great haste recedes,
when on the sand only some shells are left,
some cold scales of a few fish that make love.

Death like a handful of sand,
like water that is left alone in the hollow,
like the sea-gull that in the middle of the night
is tinged the color of blood above a sea that is not.

Luis Cernuda

ꞁ ꞁ ꞁ

LUIS CERNUDA was born in Seville in 1902. He studied at the University of Seville and took his degree in Law, but he never practised as a lawyer. From 1928 to 1929 he was Instructor at the University of Toulouse. He returned to Spain and worked with the committee of *Las misiones pedagógicas*. At the outbreak of the Civil War he was Secretary to the Spanish Ambassador in Paris.

One of the group of intellectuals who defended the cause of the Spanish Republic, he is now an exile in the British Isles, he has been assistant lecturer in Spanish at the University of Glasgow, and at the present writing is teaching in Cambridge University.

Pedro Salinas has said of Cernuda: " That impossibillity of absolute contact with, and possession of, reality, gives to the poet's vision its essential character; the world for him will be neither that which can be materially possessed, nor even that which can be possessed by feeling. It is no more than a pre-sentiment, a state of anguished pre-conscious-ness . . . Such is, in effect, the poetic world of Cernuda. Faithful to that conception therefore, his poetry abounds in spirits, phantoms and pre-realities. Hence that immaterial, airy character of incomparable light-ness and grace which distinguishes Cernuda with unmistakable mark among the other Spanish poets of the day . . . His world peopled with phantoms and spirits, it is inevitable that the poet should always feel alone . . . The poetry of Cernuda is the poetry of solitude, with all that the beautiful word has assumed of richness of aspect in the course of our spiritual history . . .

The new Spanish poetry is coming to be stamped with a predominant romantic accent . . . *La realidad y el deseo* is, in our judgment, the most perfect distillation, the finest sifting, the last possible reduction to its true essence of the romantic lyricism of Spain."

Books of poetry published: *Donde habite el olvido*, Madrid, 1935; *El joven marino*, Madrid, 1936; *La realidad y el deseo*, Madrid, 1936; *La realidad y el deseo (Primeras Poesías.—Egloga, Elegía, Oda.—Un río, un amor.—Los placeres prohibidos.—"Donde habite el olvido."—Invoca-ciones a las gracias del mundo.—Las nubes)*, Mexico, 1940; *Ocnos*, Glasgow, 1942.

339

23

REMORDIMIENTO EN TRAJE
DE NOCHE

Un hombre gris avanza por la calle de niebla;
No lo sospecha nadie. Es un cuerpo vacío;
Vacío como pampa, como amor, como viento,
Desiertos tan amargos bajo un cielo implacable.

Es el tiempo pasado, y sus alas ahora
Entre la sombra encuentran una pálida fuerza;
Es el remordimiento, que de noche, dudando,
En secreto aproxima su sombra descuidada.

No estrechéis esa mano. La yedra altivamente
Ascenderá cubriendo los troncos del invierno.
Invisible en la calma el hombre gris camina.
¿No sentís a los muertos? Mas la tierra está sorda.

Un río un amor

REMORSE IN GARB OF NIGHT

Through the street of mist a grey man advances,
Unsuspected. He is an empty body;
Empty as the pampas, as love, as wind,
Such bitter wastes beneath relentless sky.

He is past time, and now his wings collide
Amidst the shadows with a ghostly force;
He is remorse, that in the night, distrusting,
In secret draws near to his careless shade.

You must not shake that hand. Ivy will climb
Aloft covering the tree trunks of winter.
In the quiet the grey man moves invisible.
Do you not hear the dead? But the earth is deaf.

EL CASO DEL PÁJARO ASESINADO

Nunca sabremos, nunca,
Por qué razón un día
Esas luces temblaron levemente;
Fué una llorosa espuma,
Una brisa más grande, nada acaso.
Sólo las olas saben.

Por eso hoy muestran desdeñosas
Su color de miradas,
Su color ignorante todavía aunque un recuerdo
Le cante algo, algo levemente.

Fué un pájaro quizá asesinado;
Nadie sabe. Por nadie
O por alguien quizá triste en las piedras,
En los muros del cielo.

Mas de ello hoy nada se sabe.
Sólo un temblor de luces levemente,
Un color de miradas en las olas o en la brisa;
También, acaso, un miedo.
Todo, es verdad, inseguro.

Un río, un amor

THE CASE OF THE MURDERED BIRD

We shall never know, never,
For what reason one day
Those lights were trembling gently.
It was a mournful foam,
A stronger breeze, perhaps nothing.
Only the waves know really.

Therefore to-day they show disdainfully
The color of their glances,
The color ignorant still, though a memory
Sings to it something very gently.

It was a bird perhaps murdered;
No one knows. By no one
Or by someone, sad perhaps, on the stones,
On the walls of the sky.

But of that to-day nothing is known.
Only a trembling of lights very gently,
A color of glances in the waves or in the breeze;
Also, perhaps, a fear.
All is uncertain, truly.

COMO LEVE SONIDO

Como leve sonido,
Hoja que roza un vidrio,
Agua que acaricia unas guijas,
Lluvia que besa una frente juvenil;

Como rápida caricia,
Pie desnudo sobre el camino,
Dedos que ensayan el primer amor,
Sábanas tibias sobre el cuerpo solitario;

Como fugaz deseo,
Seda brillante en la luz,
Esbelto adolescente entrevisto,
Lágrimas por ser más que un hombre;

Como esta vida que no es mía
Y sin embargo es la mía;
Como este afán sin nombre
Que no me pertenece y sin embargo soy yo;

Como todo aquello que de cerca o de lejos
Me roza, me besa, me hiere,
Tu presencia está conmigo fuera y dentro,
Es mi vida misma y no es mi vida,
Así como una hoja y otra hoja
Son la apariencia del viento que las lleva.

                                    Los placeres prohibidos

LIKE THE LIGHT SOUND

Like the light sound
Of a leaf that grazes a pane,
Water that caresses pebbles,
Rain that kisses a young forehead;

Like a swift caress,
A bare foot on the pathway,
Fingers that essay first love,
Warm sheets on a lonely body;

Like fleeting desire,
Brilliant silk in the light,
Slender adolescent just glimpsed,
Tears wept for being more than a man;

Like this life that is not mine
And nevertheless is mine;
Like this eagerness without name
That does not belong to me and yet is myself;

Like all that which near or far
Touches me, kisses me, wounds me,
Your presence is with me without and within,
Is my life itself and is not my life,
Thus like a leaf and another leaf,
They are the semblance of the wind that bears them away.

EL VIENTO DE SEPTIEMBRE
ENTRE LOS CHOPOS

Por este clima lúcido,
Furor estival muerto,
Mi vano afán persigue
Un algo entre los bosques.

Un no sé qué, una sombra,
Cuerpo de mi deseo,
Arbórea dicha acaso
Junto a un río tranquilo.

Pero escucho; resuena
Por el aire delgado,
Estelar melodía,
Un eco entre los chopos.

Oigo caricias leves,
Oigo besos más leves;
Por allá baten alas,
Por allá van secretos.

No, vosotros no sois,
Arroyos taciturnos,
Frágiles amoríos
Como de sombra humana.

No, clara juventud,
No juguéis mi destino;
No busco vuestra gracia
Ni esa breve sonrisa.

WIND OF SEPTEMBER
IN THE POPLARS

In this clear shining climate,
The summer madness over,
My vain longing pursues
Something within the woods.

I know not what, a shadow,
Body of my desire,
Is it perchance tree happiness
Close by a tranquil river?

But I listen; now ripples
Through the tenuous air
A sidereal melody,
An echo in the poplars.

I hear gentle caresses,
I hear more gentle kisses;
Thereabouts wings are beating,
Thereabouts secrets flit.

No, no, you never are,
Little taciturn streams,
Never are frail romances
As of a human shadow.

No, clear crystalline youth,
Make no game of my fate;
I do not seek your charm
Nor that very brief smile.

Corre allí, entre las cañas,
Delirante armonía;
Canta una voz, cantando
Como yo mismo, lejos.

Hundo mi cabellera,
Busco labios, miradas,
Tras las inquietas hojas
De estos cuerpos esbeltos.

Avido aspiro sombra;
Oigo un afán tan mío . . .
Canta, deseo, canta
La canción de mi dicha.

Altas sombras mortales:
Vida, afán, canto, cedo.
Quiero anegar mi espíritu
Hecho gloria amarilla.

Invocaciones a las gracias del mundo

A delirious harmony
Flows there, between the reeds;
A voice sings, singing as
I myself, in the distance.

I hide away my head,
I look for lips and glances,
Behind the restless leaves
Of these tall slender bodies.

Eager I breathe in shade;
I hear longing so mine . . .
Sing, oh sing desire, sing
Me the song of my happiness.

Deep mortal shadows: life,
Longing, I sing, I yield.
I would submerge my spirit
Made a glory of yellow.

HIMNO A LA TRISTEZA

Fortalecido estoy contra tu pecho
De augusta piedra fría,
Bajo tus ojos crepusculares,
Oh madre inmortal.

Desengañada alienta en ti mi vida,
Oyendo en el pausado retiro nocturno
Ligeramente resbalar las pisadas
De los días juveniles, que se alejan
Apacibles y graves, en la mirada,
Con una misma luz, compasión y reproche;
Y van tras ellos como irisado humo
Los sueños creados con mi pensamiento,
Los hijos del anhelo y la esperanza.

La soledad poblé de seres a mi imagen
Como un dios aburrido;
Los amé si eran bellos,
Mi compañia les di cuando me amaron,
Y ahora como ese mismo dios aislado estoy,
Inerme y blanco tal una flor cortada.

Olvidándome voy en este vago cuerpo,
Nutrido por las hierbas leves
Y las brillantes frutas de la tierra,
El pan y el vino alados,
En mi nocturno lecho a solas.

Hijo de tu leche sagrada,
El esbelto mancebo
Hiende con pie inconsciente
La escarpada colina,
Salvando con la mirada en ti
El laurel frágil y la espina insidiosa.

HYMN TO SORROW

I am supported against your breast
Of majestic cold stone,
Beneath your eyes of twilight,
Oh immortal mother.

My life deceived takes comfort in you,
Hearing lightly slip by in this quiet
Nocturnal retreat the footsteps
Of the young days, that withdraw
Placid and serious, in their glance,
With the same light, compassion and reproach;
And behind them float like rainbow-hued smoke
The dreams created by my thoughts,
Children of eagerness and hope.

I peopled the solitude with beings in my own image
Like a bored god;
I loved them if they were fair,
I gave them my company when they loved me,
And now like that same god I am set apart,
Defenseless and white as a cut-off flower.

I am forgetting myself in this vague body,
Nourished by the light herbs
And the brilliant fruits of the earth,
The winged bread and wine,
At night on my bed of loneliness.

Child of your sacred milk,
The slender youth
With unconscious foot cleaves
The steep hillside,
With his gaze on you, avoiding
The fragile laurel and the treacherous thorn.

Al amante aligeras las atónitas horas
De su soledad, cuando en desierta estancia
La ventana, sobre apacible naturaleza,
Bajo una luz lejana,
Ante sus ojos nebulosos traza
Con renovado encanto verdeante
La estampa inconsistente de su dicha perdida.

Tú nos devuelves vírgenes las horas
Del pasado, fuertes bajo el hechizo
De tu mirada inmensa,
Como guerrero intacto
En su fuerza desnudo tras de broquel broncíneo,
Serenos vamos bajo los blancos arcos del futuro.

Ellos, los dioses, alguna vez olvidan
El tosco hilo de nuestros trabajados días,
Pero tú, celeste donadora recóndita,
Nunca los ojos quitas de tus hijos
Los hombres, por el mal hostigados.

Viven y mueren a solas los poetas,
Restituyendo en claras lágrimas
La polvorienta agua salobre,
Y en la gloria resplandeciente
La esquiva ojeada del magnate henchido,

Mientras sus nombres suenan
Con el viento en las rocas,
Entre el hosco rumor de torrentes oscuros,
Allá por los espacios donde el hombre
Nunca puso sus plantas.

To the lover you shorten the astonished hours
Of his solitude, when in a deserted room
The window, before his misty eyes,
Over peaceful nature,
Beneath a far off light, traces
With renewed growing-green enchantment
The unsubstantial image of his lost happiness.

You restore to us the virgin hours
Of the past, secure under the fascination
Of your limitless gaze,
Like the intact warrior
In his naked strength behind brazen shield,
We walk serene under the white arches of the future.

They, the gods, sometimes forget
The rough thread of our toil-worn days,
But you, all-knowing celestial giver,
You never withdraw your eyes from your children,
Men scourged by evil.

The poets live and die alone,
Giving back in clear tears
The dirty brackish water,
And turning to high glittering glory
The evasive glance of the proud magnate,

While their names are heard
In the wind on the cliffs,
Midst the gloomy sound of dark torrents,
There in places where man
Never set sole of his foot.

¿Quién sino tú cuidas sus vidas, les da fuerzas
Para alzar la mirada entre tanta miseria,
En la hermosura perdidos ciegamente?
¿Quién sino tú, amante y madre eterna?

Escucha cómo avanzan las generaziones
Sobre esta remota tierra misteriosa;
Marchan los hombres hostigados
Bajo la yerta sombra de los antepasados.
Y el cuerpo fatigado se reclina
Sobre la misma huella tibia
De otra carne precipitada en el olvido.

Luchamos por fijar nuestro anhelo,
Como si hubiera alguien, más fuerte que nosotros,
Que tuviera en memoria nuestro olvido,
Porque dulce será anegarse
En un abrazo inmenso,
Vueltos niebla con luz, agua en la tormenta;
Grato ha de ser aniquilarse,
Marchitas en los labios las delirantes voces.

Pero aún hay algo en mí que te reclama
Conmigo hacia los parques de la muerte
para acallar el miedo ante la sombra.

¿Donde floreces tú, como vaga corola
Henchida del piadoso aroma que te alienta
En las nupcias terrenas con los hombres?
No eres hiel ni eres pena, sino amor de justicia imposible,
Tú, la compasión humana de los dioses.

                    Invocaciones a las gracias del mundo

Who but you cares for their lives, gives them strength
To lift their gaze midst so much misery,
Blindly lost in beauty?
Who but you, lover and eternal mother?

Hear how the generations push on
Over the distant mysterious earth;
The troubled men go forward
Under the motionless shadow of their predecessors.
And the tired body bends
Over the same warm trace
Of other flesh hastening into oblivion.

We struggle to make fast our eagerness,
As if there were someone stronger than ourselves
Who held our oblivion fixed in his memory,
For it will be sweet to be drowned
In an immense embrace,
Turned to mist by the light, to water in the storm;
It must be pleasant to waste away,
The delirious voices faded on the lips.

But there is still something in me that calls you
To go with me to the fields of death
To quiet my fear in the darkness.

Where do you blossom, like a vague corolla
Filled with merciful fragrance that cheers you
In your earthly marriage with men?
You are not grief nor bitterness, but love of impossible justice,
You are the human compassion of the gods.

24

ELEGÍA ESPAÑOLA

Dime, háblame
Tú, esencia misteriosa
De nuestra raza
Tras de tantos siglos,
Hálito creador
De los hombres hoy vivos,
A quienes veo por el odio impulsados
Hasta ofrecer sus almas
A la muerte, la patria más profunda.

Cuando la primavera vieja
Vuelve a tejer su encanto
Sobre tu cuerpo inmenso,
¿Cuál ave hallará nido
Y qué savia una rama
Donde brotar con verde impulso?
¿Qué rayo de la luz alegre,
Qué nube sobre el campo solitario,
Hallarán agua, cristal de hogar en calma
Donde reflejen su irisado juego?

Háblame, madre;
Y al llamarte así, digo
Que ninguna mujer lo fué de nadie
Como tú lo eres mía.
Háblame, dime
Una sola palabra en estos días lentos,
En los días informes
Que frente a ti se esgrimen
Como cuchillo amargo
Entre las manos de tus propios hijos.

SPANISH ELEGY

Tell me, speak to me,
You mysterious essence
Of our race
After so many centuries,
Creating breath
Of men now living,
Whom I see moved by hatred
Even to offer up their souls
To death, the deepest mother land.

When the ancient springtime
Returns to weave its enchantment
Over your vast body,
Which bird will find a nest
And what sap a branch
Where to put forth with green impulse?
What ray of joyous light,
What cloud over lonely field,
Will find water, the mirror of home at peace
Where to reflect its rainbow-hued movement?

Speak to me, Mother;
And calling you thus, I say
That never was woman to anyone
Such a mother as you are to me.
Speak to me, say but
One word to me in these sluggish days,
In these formless days
That seem to wield before you
A bitter knife
In the hands of your very own sons.

No te alejes así, ensimismada
Bajo los largos velos cenicientos
Que nos niegan tus anchos ojos bellos.
Esas flores caídas,
Pétalos rotos entre sangre y lodo,
En tus manos estaban luciendo eternamente
Desde siglos atrás, cuando mi vida
Era un sueño en la mente de los dioses.

Eres tú, son tus ojos lo que busca
Quien te llama luchando con la muerte,
A ti, remota y enigmática
Madre de tantas almas idas
Que te legaron, con un fulgor de piedra clara,
Su afán de eternidad cifrado en hermosura.

Pero no eres tan sólo
Dueña de afanes muertos;
Tierna, amorosa has sido con nuestro afán **viviente**,
Compasiva con nuestra desdicha de efímeros.
¿Supiste acaso si de ti éramos dignos?

Contempla ahora a través de las lágrimas:
Mira cuántos traidores,
Mira cuántos cobardes
Lejos de ti en fuga vergonzosa,
Renegando tu nombre y tu regazo,
Cuando a tus pies, mientras la larga espera,
Si desde el suelo alzamos hacia ti la mirada,
Tus hijos sienten oscuramente
La recompensa de estas horas fatídicas.

Do not draw away, absorbed in thought
Under your long veils the color of ashes
That deny to us your beautiful wide eyes.
Those fallen flowers,
Their petals torn midst blood and mire,
In your hands were shining eternally
Centuries back, when my life
Was a dream in the mind of the gods.

It is you, your eyes that he seeks,
He who calls you struggling with death,
You, distant and enigmatical
Mother of so many departed souls
That bequeathed to you, with the flash of a clear stone,
Their longing for eternity, founded on beauty.

But you are not only
Mistress of dead longings;
You have been tender and loving with our living longing,
Merciful with the misfortunes of our short lives.
Did you know perchance if we were worthy of you?

Now look through your tears:
See how many are the traitors,
See how many are the cowards,
Far from you in shameful flight,
Denying your name and your bosom,
When at your feet, during the long waiting,
If from the ground we lift our eyes to you,
Your sons dimly foresee
The reward of these prophetic hours.

No sabe qué es la vida
Quien jamás alentó bajo la guerra.
Ella sobre nosotros sus alas densas cierne,
Y oigo su silbo helado,
Y veo los muertos bruscos
Caer sobre la hierba calcinada,
Mientras el cuerpo mío
Sufre y lucha con unos enfrente de esos otros.

No sé qué tiembla y muere en mí
Al verte así dolida y solitaria,
En ruinas los claros dones
De tus hijos, a través de los siglos;
Porque mucho he amado tu pasado,
Resplandor victorioso entre sombra y olvido.

Tu pasado eres tú
Y al mismo tiempo eres
La aurora que aún no alumbre nuestros campos.
Tú sola sobrevives
Aunque venga la muerte;
Sólo en ti está la fuerza
De hacernos esperar a ciegas el futuro.

Que por encima de estos y esos muertos
Y encima de estos y esos vivos que combaten,
Algo advierte que tú sufres con todos.
Y su odio, su crueldad, su lucha,
Ante ti vanos son como sus vidas,
Porque tú eres eterna
Y sólo los creaste
Para la paz y la gloria de su estirpe.

Las nubes

He does not know what life is
Who never drew breath in battle.
The war soars above us with dark wings,
I hear its icy whistle,
And I see the rough dead
Fall on the scorched grass,
While my body
Suffers and struggles with some in front of those others.

I do not know what trembles and dies within me
At seeing you thus grieved and lonely,
In ruins the fair gifts
Of your sons, across the ages;
For much have I loved your past,
Victorious radiance between darkness and oblivion.

You are your past
And at the same time you are
The dawn that as yet does not illumine our fields.
Alone you survive
Even though death may come;
Only in you lies the power
To make us await the future blindly.

For in spite of these and those dead
And in spite of these and those living that fight,
Something makes known that you suffer with all.
And their hatred, their cruelty, their struggle,
Before you are vain as are their lives,
For you are eternal
And you created them only
For the peace and the glory of their lineage.

LA FUENTE

Hacia el pálido aire se yergue mi deseo,
Fresco rumor insomne en fondo de verdura,
Como esbelta columna, mas truncada su gracia
Corona de las aguas la calma ya celeste.

Plátanos y castaños en lisas avenidas
Se llevan a lo lejos mi suspiro diáfano,
De las sendas más claras a las nubes ligeras,
Con el lento aleteo de las palomas grises.

Al pie de las estatuas por el tiempo vencidas,
Mientras copio su piedra, cuyo encanto ha fijado
Mi trémulo esculpir de líquidos momentos,
Única entre las cosas, muero y renazco siempre.

Ese brotar continuo viene de la remota
Cima donde cayeron dioses, de los siglos
Pasados, con un dejo de paz, hasta la vida
Que dora vagamente mi azul ímpetu helado.

Por mí yerran al viento dejos apaciguados
De las viejas pasiones, glorias, duelos de antaño,
Y son, bajo la sombra naciente de la tarde,
Misterios junto al vano rumor de los efímeros.

El hechizo del agua detiene los instantes:
Soy divino rescate a la pena del hombre,
Forma de lo que huye de la luz a la sombra,
Confusión de la muerte resuelta en melodía.

Las nubes

THE FOUNTAIN

My desire springs upward in the pallid air,
A cool sleepless murmur in the depths of greenness,
Like a slender column, but its grace cut off,
It crowns the already heavenly calm of the waters.

Chestnut trees and plane trees in long even avenues,
With the slow beating of the wings of grey doves,
Waft to the distance my diaphanous sigh,
From the clearest pathways to the feathery clouds.

At the foot of statues overcome by time,
While I copy their stone, whose charm has made fast
My tremulous sculpturing of liquid moments,
Alone of all things, I die and am ever reborn.

This continuous gushing forth comes from the distant
Summit from whence gods fell, in the ages past,
With a touch of peace, it now springs into life
That tinges with faint gold my icy blue impetus.

Through me are flung to the wind pacified remnants
Of old passions, glories, griefs of long ago,
They are, beneath the growing shadow of evening,
Mysteries near the vain sound of all that passes.

The enchantment of the water arrests the moments:
I am the divine redemption of the sorrow
Of man, form of that which flees from light to darkness,
The confusion of death resolved in melody.

ATARDECER EN LA CATEDRAL

Por las calles desiertas, nadie. El viento
Y la luz sobre las tapias
Que enciende los aleros al sol último.
Tras una puerta se queja el agua oculta.
Ven a la catedral, alma de soledad temblando.

Cuando el labrador deja en esta hora
Abierta ya la tierra con los surcos,
Nace de la obra hecha gozo y calma.
Cerca de Dios se halla el pensamiento.

Algunos chopos secos, llama ardida
Levantan por el campo, como el humo
Alegre en los tejados de las casas.
Vuelve un rebaño junto al arroyo oscuro
Donde duerme la tarde entre la hierba.
El frío está naciendo y es el cielo más hondo.

Tal un sueño de piedra, de música callada,
desde la flecha erguida de la torre
Hasta la lonja de anchas losas grises,
La catedral extática aparece,
Toda reposo: vidrio, madera, bronce,
Fervor puro a la sombra de los siglos.

Una vigilia dicen esos ángeles
Y su espada desnuda sobre el pórtico,
Florido con sonrisas por los santos viejos,
Como huerto de otoño que brotara
Musgos entre las rosas esculpidas.

THE CATHEDRAL AT EVENING

In the deserted streets, nobody. Wind
And light over the walls
That kindles the eaves with the sun's last rays.
Behind a closed door unseen water lamenting.
Come to the cathedral, soul trembling with loneliness.

When the husbandman at the evening hour
Leaves the ground lying open in deep furrows,
Joy and serenity are born of work done.
He finds his thoughts are drawing close to God.

In the field a few slender poplar trees
Point towards heaven their tips, an ardent flame,
Like joyous smoke rising from roofs of cottages.
A herd of cattle returns to the dark stream
Where the evening sleeps amidst the grass.
The coldness is growing, the sky is deeper.

Like a dream of stone and of muted music,
From the erect pinnacle of the spire
Down to the broad grey flagstones of the terrace,
The cathedral seems in ecstasy rapt,
All repose: the glass, the wood and the bronze,
Pure fervor in the shadow of the centuries.

Those angels on high say an evening prayer
And their naked sword carved above the portico,
That is enriched with the smiles of old saints,
Is like a garden in autumn that should
Put forth mosses between the sculptured roses.

Aquí encuentran la paz los hombres vivos,
Paz de los odios, paz de los amores,
Olvido dulce y largo, donde el cuerpo
Fatigado se baña en las tinieblas.

Entra en la catedral, ve por las naves altas
De esbelta bóveda, gratas a los pasos
Errantes sobre el mármol, entre columnas,
Hacia el altar, ascua serena,
Gloria propicia al alma solitaria.

Como el niño descansa, porque cree
En la fuerza prudente de su padre;
Con el vivir callado de las cosas
Sobre el haz inmutable de la tierra,
Transcurren estas horas en el templo.

No hay lucha ni temor, no hay pena ni deseo.
Todo queda aceptado hasta la muerte
Y olvidado tras de la muerte, contemplando,
Libres del cuerpo, y adorando,
Necesidad del alma exenta de deleite.

Apagándose van aquellos vidrios
Del alto ventanal, y apenas si con oro
Triste se irisan débilmente. Muere el día,
Pero la paz perdura postrada entre la sombra.

El suelo besan quedos unos pasos
Lejanos. Alguna forma, a solas,
Reza caída ante una vasta reja
Donde palpita el ala de una llama amarilla.

Here living men will come to find their peace,
Peace from their hatreds and peace from their loves,
That long and gentle forgetfulness where
The tired body may bathe in the darkness.

Enter the cathedral, look through the lofty aisles
Of slender arches, pleasing to the footsteps
Wandering over the marble, between columns,
Towards the altar, calm glowing ember,
Glory propitious to the lonely soul.

As the child rests quietly because he
Believes in the prudent strength of his father;
With the silent living of things above
The immovable surface of the earth,
These hours in the temple flow gently by.

There is no struggle nor fear, no sorrow nor desire,
All is accepted, even death,
And forgotten after death, free of the body,
Contemplating and adoring,
A necessity of the soul exempt from lust.

The light streaming through the panes of the great
Window is growing dim, they gleam but faintly,
Their glass scarce tinted with gold. The day dies,
But peace endures kneeling amidst the shadows.

Footsteps in the distance quietly kiss
The pavement, and a solitary form
Prays fallen in front of the great rood-screen
Where the wing of a yellow flame is quivering.

Llanto escondido moja el alma,
Sintiendo la presencia de un poder misterioso
Que el consuelo creara para el hombre,
Sombra divina hablando en el silencio.

Aromas, brotes vivos surgen,
Afirmando la vida, tal savia de la tierra
Que irrumpe en milagrosas formas verdes.
Secreto entre los muros de este templo,
El soplo animador de nuestro mundo
Pasa y orea la noche de los hombres.

Las nubes

The soul is imbued with a hidden weeping,
Feeling the presence of a mysterious power
That creates consolation for man,
A divine spirit speaking in the silence.

Perfumes, living offshoots spring up,
Affirming life, like sap of the earth
That breaks forth in miraculous green forms.
Secretly within the walls of this temple,
The animating breath of our world
Passes and fans the night of men.

IMPRESIÓN DE DESTIERRO

Fué la pasada primavera,
Hace ahora casi un año,
En un salón del viejo Temple, en Londres,
Con viejos muebles. Las ventanas daban,
Tras edificios viejos a lo lejos,
Entre la hierba el gris relámpago del río.
Todo era gris y estaba fatigado,
Igual que el iris de una perla enferma.

Eran señores viejos, viejas damas,
En los sombreros plumas polvorientas.
Un susurro de voces allá por los rincones,
Junto a mesas con tulipanes amarillos,
Retratos de familia y teteras vacías.
La sombra que caía
Con un olor a gato,
Despertaba ruidos en cocinas.

Un hombre silencioso estaba
Cerca de mí. Veía
La sombra de su largo perfil algunas veces
Asomarse abstraído al borde de la taza,
Con la misma fatiga
Del muerto que volviera
Desde la tumba a una fiesta mundana.

En los labios de alguno,
Allá por los rincones
Donde los viejos juntos susurraban,
Densa tal una lágrima cayendo,
Brotó de pronto una palabra: España.

IMPRESSION OF EXILE

It was last spring,
Now almost a year ago,
In a room of the old Temple, in London,
With ancient furniture. The windows looked
Out beyond old buildings into the distance,
Amidst the grass the grey flash of the river.
Everything was grey and was tired,
Just the color of a sick pearl.

There were old gentlemen and old ladies,
On their hats dusty feathers.
A murmur of voices over there in the corners,
Near tables with yellow tulips,
Family portraits and empty tea pots.
The darkness that was falling
With an odor of cats,
Was awakening sounds in kitchens.

A silent man was
Near me. I saw
The shadow of his long profile several times
Absentmindedly peep over the rim of his cup,
With the weariness
Of a dead person that comes back
From the grave to a worldly feast.

On the lips of someone,
Over there in the corner
Where the old people were whispering together,
Compact like a falling tear,
Suddenly there broke forth one word: Spain.

Un cansancio sin nombre
Rodaba en mi cabeza.
Encendieron las luces. Nos marchamos.

Tras largas escaleras casi a oscuras,
Me hallé luego en la calle,
Y a mi lado, al volverme,
Vi otra vez aquel hombre silencioso,
Que habló indistinto algo
Con acento extranjero,
Un acento de niño en voz envejecida.

Andando me seguía
Como si fuera solo bajo un peso invisible,
Arrastrando la losa de su tumba.
Mas luego se detuvo.
" ¿España? ", dijo. " Un nombre.
España ha muerto." Había
Una súbita esquina en la calleja.
Le vi borrarse entre la sombra húmeda.

                              Las nubes

A nameless weariness
Was wandering about in my head.
They lighted the lights and we left.

After the long stairway almost in the dark,
I found myself presently on the street,
And, turning, at my side
I saw once more the silent man,
Who muttered something indistinctly
With a strange accent,
The accent of a child with the voice grown old.

He was following me walking
As if he were alone under an invisible weight,
Dragging the slab of his tomb.
But presently he stopped.
" Spain? ", he said. " A name.
Spain has died." There was
A sudden turning in the narrow street.
I saw him fade out in the moist darkness.

CEMENTERIO EN LA CIUDAD

Tras de la reja abierta entre los muros,
La tierra negra sin árboles ni hierba,
Con bancos de madera donde allá a la tarde
Se sientan silenciosos unos viejos.
En torno están las casas, cerca hay tiendas,
Calles por las que juegan niños, y los trenes
Pasan al lado de las tumbas. Es un barrio pobre.

Tal remiendos de las fachadas grises,
Cuelgan en las ventanas trapos húmedos de lluvia.
Borradas están ya las inscripciones
De las losas con muertos de dos siglos,
Sin amigos que les olviden, muertos
Clandestinos. Mas cuando el sol despierta,
Porque el sol brilla algunos días hacia junio,
En lo hondo algo deben sentir los huesos viejos.

Ni una hoja ni un pájaro. La piedra nada más. La tierra.
¿Es el infierno así? Hay dolor sin olvido,
Con ruido y miseria, frío largo y sin esperanza.
Aquí no existe el sueño silencioso
De la muerte, que todavía la vida
Se agita entre estas tumbas, como una prostituta
Prosigue su negocio bajo la noche inmóvil.

Cuando la sombra cae desde el cielo nublado
Y el humo de las fábricas se aquieta
En polvo gris, vienen de la taberna voces,
Y luego un tren que pasa
Agita largos ecos como un bronce iracundo.
No es el juicio aún, muertos anónimos.
Sosegaos, dormir; dormir si es que podéis.
Acaso Dios también se olvida de vosotros.

Las nubes

GRAVEYARD IN THE CITY

Beyond the open grating between walls,
Black earth without trees or grass,
With wooden benches, there, where at evening
A few old men sit silently.
Houses are all around, shops are nearby,
And streets in which children play, and the trains
Pass close by the graves. It is a poor quarter.

Like patches on the grey fronts,
Damp rags of rain hang at the windows.
The inscriptions are already effaced
From the slabs of the dead of two centuries,
Without friends who may forget them, the secret
Dead. But when the sun awakes,
Because the sun shines a few days in June,
The ancient bones should feel something down in the depths.

Neither a leaf nor a bird. Stone, only stone, and earth.
Is hell like this? Here is grief without oblivion,
With noise and misery, prolonged cold and no hope.
Here is no silent sleep
Of death, for life still
Hovers between these graves, as a prostitute
Plies her trade under the motionless night.

When darkness falls from the clouded heavens
And the smoke of the factories dies down
In grey dust, voices come from the tavern,
And presently a train that passes
Awakens long echoes like an angry bell.
It is not the judgment, you nameless dead,
Calm yourselves, sleep; if you are able to sleep.
Perhaps God is forgetting you too.

Manuel Altolaguirre

, , ,

MANUEL ALTOLAGUIRRE was born in Malaga in 1904. He was educated by the Jesuits. With Emilio Prados, he started the printing house and literary magazine *Litoral*. They were their own printers. Later he went to Madrid, Paris and London, taking his press with him and always working as a printer. In London he published a few numbers of *1616*, a literary magazine. Before the Spanish Civil War he had a printing house in Madrid. He married Concha Mendez, a poet who has been associated with him in his work. They have had their own printing house in Cuba, but have now joined the group of Spanish poets in Mexico.

Ángel Valbuena Prat writes of Manuel Altolaguirre: "In the year 1927 appeared *Ejemplo*, a book which is full of disquieting longings for transcendence, even in the forms nearest to the earlier imagery and verse . . . Thus a poetry 'of within' is reached even when his most personal emotions are invested, inevitably, with metaphors in the style of the nineteenth century."

Books of poetry published: *Las islas invitadas y otros poemas*, Malaga, 1926; *Ejemplo*, Malaga, 1927; *Escarmiento; Vida poética; Lo invisible*, Madrid, 1930; *Un día; Amor*, Paris, 1931; *Soledades juntas*, Madrid, 1931; *Las islas invitadas y otras poemas* (new enlarged edition), Mexico, 1944.

Arrastrando por la arena,
como cola de mi luto,
a mi sombra prisionera,
triste y solitario voy
y vengo por las riberas,
recordando y olvidando
las causas de mi tristeza.

¡La ciudad que más quería
la he perdido en una guerra!

Ya no veré nunca más
las dos torres de su iglesia,
ni los caminos sin sombra
de sus ríos y veredas.

¡La ciudad que más quería
la he perdido en una guerra!

Las islas **invitadas**

Along the sand of the beach,
as if it were train of my mourning,
dragging my prisoner shadow,
I walk alone and sorrowing
on the seashore back and forth,
remembering and forgetting
the causes of my affliction.

The city I loved the most
I am bereft of by war!

Now I shall never see more
the two towers of its church,
nor enjoy my sunny rambles
along its rivers and footpaths.

The city I loved the most
I am bereft of by war!

Mi soledad llevo dentro,
torre de ciegas ventanas.
Cuando mis brazos extiendo,
abro sus puertas de entrada
y doy camino alfombrado
al que quiera visitarla.
Pintó el recuerdo los cuadros
que decoran sus estancias.
Allí mis pasadas dichas
con mi pena de hoy contrastan.
¡Qué juntos los dos estábamos!
¿Quién el cuerpo? ¿Quién el alma?
Nuestra separación última,
¡qué muerte fué tan amarga!
Ahora dentro de mí llevo
mi alta soledad delgada.

Ejemplo

Within me I bear my solitude,
a tower of blinded windows.
And when I stretch out my arms,
I open its doors of entrance
and show a carpeted way
to him who may care to visit it.
Memory painted the pictures
that deck the walls of its chambers.
There are contrasted my joys
past, and my pain of today.
How close we two were together!
Which was body and which soul?
When came the day of our parting,
what a bitter death it was!
And now I carry within me
my tall and slender solitude.

Era mi dolor tan alto,
que la puerta de la casa
de donde salí llorando
me llegaba a la cintura.

¡Qué pequeños resultaban
los hombres que iban conmigo!
Crecí como una alta llama
de tela blanca y cabellos.

Si derribaran mi frente
los toros bravos saldrían,
luto en desorden, dementes,
contra los cuerpos humanos.

Era mi dolor tan alto,
que miraba al otro mundo
por encima del ocaso.

Soledades *juntas*

So high reached my sorrow,
the door of the dwelling
from whence I went weeping
came but to my girdle.

How small seemed the people,
those that walked with me!
I grew like tall flame
of hair and white cloth.

If they struck my brow
fierce bulls would go forth,
mad, mourning in confusion,
against human bodies.

So high reached my sorrow,
that gazing I saw
the other world glowing
above the sunset.

¡Qué golpe aquél de aldaba,
sobre el ébano frío de la noche!
Se desclavaron las estrellas frágiles.
Todos los prisioneros percibimos
el descoserse de la cerradura.
¿Por quién? ¿Adónde?
El sol su página plisada
entró por la rendija oblícuamente,
iluminando el polvo.

Descorrió su cortina el elegido,
y penetró en los ámbitos sonoros·
del Triángulo y la espuma.

Nos dejó la burbuja de su ausencia
y la conversación de sus elogios.

Soledades juntas

PRADERA

El pecho de mi caballo
ancho se agranda viniendo
solo y desnudo, trotando.
En yerba y cristal mi cuerpo
tendido está dibujado.
Un silencio transparente
cubre con su luz el llano.
Con larga cola ondulada
la grupa de mi caballo
se aleja sola y desnuda,
redonda nube, trotando.

Soledades juntas

What a blow that of the knocker,
on the cold ebony of the night!
It wrenched out the fragile stars,
and all we prisoners perceived
the ripping open of the locks.
By whom? And whither? The sun,
its page crinkled, entered through the crevice
obliquely, illuminating the dust.

The chosen one drew back his curtain,
and penetrated into the resounding regions
of the Triangle and the sea foam.

He has left us the bubble of his absence
and the conversation of his eulogies.

THE MEADOW

The breast of my stalwart horse
grows broader as he alone
and bare-backed comes trotting towards me.
On grass and crystal my body
stretched out at full length is outlined.
A silence deep and transparent
covers the plain with its light.
With his long and rippling tail
the rump of my goodly horse
receding, alone and bare-backed,
a rounded cloud departs trotting.

Aguas sin suerte, solteras
despreciadas de los trigos,
canosas ya por la espuma
de las riberas del río,
¿qué infancia de nube airosa
recordáis? Habéis perdido
la niñez en cielos altos
y ahora andáis largo camino
hacia la mar que es la gloria
del agua, su paraíso.
¡Qué vejez la del torrente!
¡Qué angustioso torbellino!
No calmáis la sed de nadie,
ni seréis para Narciso
espejos. Váis a la muerte,
aguas finales del río.

Soledades juntas

Waters ill-fated, sad spinsters,
scorned, rejected by the wheatfields,
already hoary with foam
along the banks of the river,
what sweet infancy of airy
cloud do you remember? Lost
in high heaven is your childhood
and now you go the long way
towards ocean that is the glory
and the paradise of water.
What old age that of the torrent!
What vortex of anguished whirlpool!
You will quench the thirst of no one,
nor be for Narcissus mirror,
for you go now to your death,
final waters of the river.

PLAYA

Las barcas de dos en dos,
como sandalias del viento
puestas a secar al sol.

Yo y mi sombra, ángulo recto.
Yo y mi sombra, libro abierto.

Sobre la arena tendido
como despojo del mar
se encuentra un niño dormido.

Yo y mi sombra, ángulo recto.
Yo y mi sombra, libro abierto.

Y más allá, pescadores
tirando de las maromas
amarillas y salobres.

Yo y mi sombra, ángulo recto.
Yo y mi sombra, libro abierto.

Soledades juntas

ON THE BEACH

Little ships two abreast,
like sandals of the wind
set to dry in the sun.

I and my shadow, right angle.
I and my shadow, open book.

Stretched out upon the sand
like flotsam of the sea,
a little boy lies sleeping.

I and my shadow, right angle.
I and my shadow, open book.

Fishermen, farther off,
drawing in their long lines
briny with salt and yellow.

I and my shadow, right angle.
I and my shadow, open book.

Sentidos ignorados del Universo:
¿Adónde lleváis las sensaciones
que adquirís de la nada?
¿En qué víscera yo, Dios mío, estoy?
¿La tierra un corazón?
Esta entraña secreta en donde estamos
bajo los aires músculos:
¿qué oficio tiene?
La luna, el sol, los astros,
los pulmones oscuros de la noche:
¿bajo qué piel, qué tacto viven?
¿Es tu cuerpo, Dios mío, el Universo?
¿Estás en lo creado
como el alma en la carne
o tienes la arboleda de tu sueño
alborotada, fuera de tu frente,
en la Nada infinita,
igual que yo en tu mundo?

Soledades juntas

Hidden senses of the Universe,
where do you carry the perceptions
that you derive from nothingness?
In what viscera, my God, am I?
Is the earth a heart?
These inmost secret entrails where we are
under the muscles of the air,
what is their function?
The moon, the sun, the stars,
the mysterious lungs of the night,
under what skin, what touch do they live?
Is the Universe, my God, thy body?
Art Thou in the created
as soul in the flesh,
or hast Thou the dishevelled grove of Thy dream
outside of Thy forehead,
in the infinite Nothingness,
even as I in Thy world?

Quiero subir a la playa
blanca, donde el oleaje
verde de un mar ignorado
salpica el manto de Dios;
a ese paisaje infinito,
altísimo, iluminado.
No estarme bajo este techo
angustioso de la vida,
de la muerte, del cansancio,
por no morir ni nacer
a las promesas alegres.
Quiero nacer de esta madre
que es la tierra; el mundo alto
donde los muertos nacieron.

Soledades juntas

I would go to the white beach,
where the green waves rolling in
from a mighty unknown sea
sprinkle the mantle of God;
to that measureless prospect
illumined with light sublime.
I would not remain beneath
this sorrowful roof of life,
of death, fatigue and all weariness,
not to die, nor to be born
to the promises of joy.
I would be born of this mother
that is the land, the high world
where those who have died were born.

¡Cómo se me escapa el suelo!
¡Cómo me rozan los hombros
los horizontes en fuga!
¡Cómo me despeina el cielo
en esta carrera loca!
¡Ay, qué con mi pecho empujo
y hundo en barrancos los vientos!
Las paredes derribadas,
grietas en el firmamento,
roto el mundo, desclavado,
yo, sobre escombros, corriendo.
Abierta contra la negra
playa de su blanco fuego
la puerta final del mundo,
dinteles de luz desiertos,
se ofrece en arcos tendidos,
norte y meta de mis sueños.

Soledades juntas

Desenvainaré mi alma
como una espada de fuego.
Mi mano sola con ella,
luminosa, ardiente, dura,
expulsará de su reino
al que se sienta desnudo.
Hay que no sentir la forma,
ni los roces, ni los fríos,
ni las caricias, ni el fuego.
Las flores nunca pecaron.
Entre ellas mi mano almada
dará su luz o la muerte.

Soledades juntas

How the ground escapes me!
I feel grazing my shoulders
the horizon in flight.
On this wild career, how
heaven ruffles my hair!
Ah, with my breast I push
into deep clefts the winds!
Walls overthrown, cracks in
the firmament, the world
shattered and wrenched apart,
I racing over ruins.
Open against the black
seacoast of its white fire,
the last door of the world,
lonely lintels of light,
offers itself in arches
spreading out towards the pole,
end and aim of my dreams.

I shall unsheathe my soul
like to a sword of fire.
My arm alone with it,
shining, eager and strong,
shall drive forth from its kingdom
those ashamed of their nakedness.
The form must not be felt,
the friction, nor the cold,
the fire, nor the caresses.
Flowers ne'er yielded to sin.
Midst them my soulful hand
will shed its light or death.

Era dueño de sí, dueño de nada.
Como no era de Dios ni de los hombres,
nunca jinete fué de la blancura,
ni nadador, ni águila.
Su tierra estéril nunca los frondosos
verdores consintió de una alegría,
ni los negros plumajes angustiosos.
Era dueño de sí, dueño de nada.

Soledades juntas

Ojos de puente los míos
por donde pasan las aguas
que van a dar al olvido.

Sobre mi frente de acero
mirando por las barandas,
caminan mis pensamientos.

Mi nuca negra es el mar
donde se pierden los ríos,
y mis sueños son las nubes
por y para las que vivo.

Ojos de puente los míos
por donde pasan las aguas
que van a dar al olvido.

Soledades juntas

He was master of self, master of nothing.
As he was not of God, neither of men,
he was not ever a rider of whiteness,
nor an eagle, nor swimmer.
His unfruitful land never permitted
the luxuriant foliage of happiness,
nor the dark plumage of anguish.
He was master of self, master of nothing.

Arches of a bridge my eyes,
through them are passing the waters
that are flowing to oblivion.

Over my forehead of steel
and peeping out through the railings
are moving along my thoughts.

My sable nape is the sea
where all the rivers are lost,
and these my dreams are the clouds
by which and for which I live.

Arches of a bridge my eyes,
through them are passing the waters
that are flowing to oblivion.

Mi cuerpo hoy me parece
un recuerdo de mí.
No es mi memoria
la que vive en mi frente
sino mi cuerpo entero
el que está arrinconado
en ella, entre las nubes,
esperando la muerte del olvido.
Yo ya soy más que yo.
Formé mi ambiente,
me envolví con mi alma,
abandoné la vida de los hombres.
Quiero olvidar mi cuerpo,
dormirlo en mí quisiera.
Sus sueños exteriores
inundarán mi espíritu.
Poblaciones extrañas,
dioses nuevos,
elementos distintos,
le rodean.
Voy dictando palabras
al que yo fuí en el mundo,
al que cree contenerme
debajo de sus ojos,
al que estoy dominando,
ensombreciendo,
al que escribe esta historia.

Soledades juntas

My body seems to me to-day
but a remembrance of myself.
It is not my memory
that lives in my forehead
but it is my whole body
tucked away in that corner,
among the clouds, awaiting
the death of forgetfulness.
I am become more than myself.
I fashioned my ambient air,
I swathed myself in my soul,
I forsook the life of men.
I wish to forget my body,
to lull it to rest within me.
Its external dreams
will overflow my spirit.
Peoples of strange places,
new gods
and different elements
surround it.
I am dictating words
to him who I was in the world,
to him who believes he holds me
under his very eyes,
to him whom I am dominating,
and overshadowing,
to him who is writing this history.

El tiempo es una llanura
y mi memoria un caballo.
Jinete suyo, yo voy
a oscuras por ese campo
sin detenerme en recuerdos
fugaces como relámpagos.
Mi caminar por el tiempo
tan sólo tiene un descanso
en el año de tu muerte
—isla de luto y de llanto—.
Plaza de mármoles fríos
y luna yerta. Me paro
deteniendo mi memoria
desbocada con espanto.
Junto al ciprés de tu sueño
para verte descabalgo.
No son recuerdos, que es vida
y verdadero el diálogo
que contigo tengo, madre,
cuando aquí nos encontramos.

Time is a flat even plain
and my memory a steed.
On its back, blindly I ride
over that field without pausing
on recollections that are
fleeting as flashes of lightning.
And my progression through time
has only one point of rest,
that is the year of your death
—island of mourning and weeping—.
It is a square of cold marbles
and motionless moon. I halt
reining my memory in,
running away in sheer terror.
Near the cypress of your sleep
I dismount that I may see you.
'Tis not remembrance, but life
and real is the conversation
that I hold with you, when here
we meet each other, my mother.